MANGEZ-LE SI VOUS VOULEZ

JEAN TEULÉ

MANGEZ-LE
SI VOUS VOULEZ

roman

Julliard
24, avenue Marceau
75008 Paris

© Éditions Julliard, Paris, 2009
ISBN : 978-2-260-01772-1

1

La demeure de Bretanges

— Une bien belle journée !...

Voilà ce qu'un jeune homme clame en poussant les volets de sa chambre à l'étage d'une bâtisse du XVIIᵉ siècle. Les rideaux de mousseline s'envolent sur les côtés. Le gars embrasse l'horizon d'un regard lent, contemple le paysage – un bout du Limousin rattaché comme par erreur au Périgord. Des chênes échelonnent mille horizons à ce Sahara de prairies. Derrière lui, sur la cheminée, une pendule sonne treize heures et une grosse voix s'élève du jardin, à l'ombre d'un châtaigner centenaire :

— C'est seulement maintenant que tu te lèves, nouveau premier adjoint de Beaussac ? ! Moi, quand j'en étais le maire, je sortais du lit plus tôt !

— Papa, je peaufinais mon projet d'assainissement de la Nizonne...

Dans l'ombre de l'arbre, une autre voix, féminine, intervient :

— Amédée, cesse d'ennuyer notre fils. Et puis, tu vois qu'il est habillé. Il te va bien, ce costume d'été,

Alain ! N'oublie pas ton canotier. Il fait encore une
chaleur, aujourd'hui !... poursuit la mère, remuant un
éventail.

Sur un guéridon en bois de rose, Alain s'empare
du chapeau de paille et quitte sa chambre. Le sombre
escalier fleure bon l'encaustique. Ses bottines acajou
en cuir souple marquent une légère claudication. Au
rez-de-chaussée, une tapisserie usée et surannée
décore le vestibule. Alain s'arrête devant un dessin
encadré. L'image représente la place d'un petit
bourg désert.

— Il te plaît, hein, ce village voisin ! s'exclame la
mère qui aperçoit son fils par la porte ouverte de la
maison.

En sortant rejoindre ses parents, s'apprêtant à
déjeuner autour d'une table de jardin, Alain répond :

— Oui, j'aime aussi Hautefaye et ses braves gens.

J'espère que mon projet de drainage sera accepté et que, comme ceux de Beaussac, ils en seront heureux.

— Vu l'heure à laquelle tu sors, je pensais que t'avais oublié la frairie annuelle..., grommelle le père, lisant le journal local.

— Je n'ai jamais, papa, manqué une foire de Hautefaye. J'y vois tous mes amis.

Tandis qu'il enlace sa mère très brune aux yeux clairs, celle-ci lui caresse une joue :

— Bel enfant fort peu compliqué, de bonne foi, tu es né pour plaire, toujours tout sourire et des cieux attendris dans le regard...

Alors que le père lève les yeux au ciel, exaspéré par cette excessive tendresse maternelle, Alain se redresse sous le grand châtaigner :

— Qu'il fait frais à l'ombre ! C'est bon par ces temps lourds. Ça semble fait exprès.

— Alors reste sous cet arbre ! s'affole soudain la mère, plutôt que d'aller bientôt sur le front de Lorraine. Mon Dieu, cette guerre contre la Prusse où tu pars la semaine prochaine ! Mais pourquoi, toi que le conseil de révision a rejeté pour faiblesse de constitution, as-tu exigé qu'on lève l'exemption ? Pour me faire mourir d'inquiétude ?... Et puis quand bien même, à Périgueux, tu aurais pu échanger pour mille francs ton mauvais numéro de conscrit chez Pons. Alain, tu m'écoutes ?

— Mais il t'a répondu cent fois, Magdeleine-Louise ! lâche le père. Cette histoire de tirage au sort pour rejoindre les troupes, où les miséreux qui ont

tiré un bon numéro le revendent à des garçons plus
aisés en ayant tiré un mauvais, ne lui plaît guère.

— Maman, moi qui suis connu par tout le monde
et apprécié dans l'arrondissement de Nontron, la
honte que j'aurais en croisant les parents de celui
parti risquer sa vie à ma place... Et puis, mon
inadaptation aux longues marches ne me gênera pas,
j'irai comme cavalier.

Alain hèle le domestique de la famille, assoupi là-
bas sous une charmille près de l'écurie :

— Pascal, peux-tu seller mon cheval s'il te plaît ?

— Tu ne manges pas avec nous ? s'étonne la
mère. Regarde, des mongettes au lard et des petits
fromages blancs.

— Non, je déjeunerai dans la foire, à l'auberge
Mousnier où j'ai rendez-vous avec le notaire de
Marthon.

— Pour quoi faire ? demande le père.

— Avant d'aller au front, je tiens à régler certaines affaires du domaine. J'ai aussi promis à notre
voisine indigente – la pauvre Bertille – de lui offrir
une génisse pour remplacer sa vache qu'elle a
retrouvée crevée dans les marais de la Nizonne et, à
l'agriculteur du lac Noir, j'ai proposé de faire
remonter le toit de sa grange brûlé par la foudre la
semaine dernière. Je vais chercher à Hautefaye un
charpentier qui pourrait commencer les travaux dès
le début de l'automne. Je pensais à Pierre Brut, le
couvreur de Fayemarteau. C'est une chose qui presse
et doit être réglée avant que je parte en Lorraine.

Alain écoute le bourdonnement des frelons et l'air

de chanson des criquets au ras des prés. Sur un buisson sec, une alouette jolie, motet au bec, s'envole.
La mère, de santé fragile et que l'enrôlement de son
fils affecte, se sent mal :

— La tête me tourne.

— C'est la chaleur, maman.

— Mon garçon, que dit le journal ? Y parle-t-on
de la Prusse ? Est-ce que les batailles de Reichshoffen et Forbach furent des victoires ? Je n'ai pas mes
lunettes.

Alain saisit *L'Écho de la Dordogne* posé près de
l'assiette du père qui le fixe et ne dit rien. Après
avoir demandé : « Est-ce bien celui d'aujourd'hui ? »,
il articule la date du quotidien :

— Mardi 16 août 1870... Ah oui, c'est bien ça.

Découvrant avec stupeur le gros titre barrant la
une, il décide de ne lire à voix haute que l'encadré
situé en bas de page :

— Toujours la même sécheresse! Sous ce
rapport, la situation va sans cesse s'aggravant.
Déjà, dans des communes importantes, on est
obligé de rationner l'eau mise à la disposition
du public; il est des localités où chaque habitant n'en reçoit plus que quatre litres par tête
et par jour. Dans les campagnes dépourvues de
grosses sources ou de ruisseaux considérables,
on est obligé d'en aller chercher fort loin aux
rivières, et elle se vend au détail.

— C'est vrai qu'il fait chaud..., confirme la mère.

— Après déjeuner, va jouer du piano dans le salon. Tu y seras plus au frais.

Pascal approche le cheval demandé et tend la bride de cet alezan assez fin d'allure. Alors qu'Alain monte en selle, sa génitrice lui recommande de rentrer avant la nuit.

— Maman... dans deux ans, je serai trentenaire ! Et notre demeure de Bretanges n'est qu'à 3 km de Hautefaye. Je vais juste y faire un tour, saluer les uns, les autres, et je reviens. À tout à l'heure.

2

Le trajet jusqu'à la foire

Ses yeux dans un rêve sans fin flottent insoucieux et, devant lui, la crinière de son cheval au trot fait des vagues blanches qui s'élèvent et plongent. Le long du chemin poudreux, heureusement tracé, il voit des vignes à flanc de coteaux sous le soleil qui travaille à gonfler, à sucrer les grappes. L'engourdissement a gagné les cigales. Il baisse les paupières. La Belle au bois dormant dort. Cendrillon sommeille. Madame Barbe-Bleue ? Elle attend ses frères. Et le Petit Poucet, loin de l'ogre si laid, se repose sur l'herbe...

Il ouvre à nouveau les yeux et découvre devant lui, comme une file d'oies sur la route en poussière, une cohorte de marchands, journaliers, artisans, à pied, à dos d'âne, dans des charrettes, qui vont aussi à la foire. Il se serre sur la droite pour dépasser deux agriculteurs de Mainzac et les salue :

— Bonjour Étienne Campot. Ça va, Jean ?

— Le bonjour, monsieur de Monéys.

Avec leur politesse habituelle, les frères Campot lèvent leur casquette. Étienne doit avoir l'âge d'Alain de Monéys. L'autre, vingt ans, possède une charmante chevelure ébouriffée. L'aîné tire un gros cheval.

— Hue, Jupiter !

— Qu'allez-vous donc faire à la frairie de la Saint-Roch avec ce boulonnais, les frères Campot ?

— On espère le vendre à des officiers de remonte, fournisseurs des armées. Ils battent parfois les foires à la recherche de montures et bêtes d'attelage qui manquent sur le front de Lorraine...

— Alors nos deux chevaux se retrouveront face aux Prussiens, Étienne ! J'ai offert d'amener au corps, lors de mon incorporation, mon propre alezan que j'abandonnerai ensuite à l'armée.

— Vous allez à la guerre, monsieur de Monéys, malgré votre patte qui boite ? s'étonne Jean. Et en plus, vous n'avez pas réussi à échanger votre mauvais numéro ?

— Le fils Besse s'est proposé de partir à ma place mais j'ai refusé. J'irai dans trois jours défendre le pays.

— Où allez-vous vous rendre ?

— J'attends ma feuille de route. Et vous, bons numéros ?

— Oui, tous les deux et heureusement, souffle l'aîné des Campot.

Ce moustachu au grand front, grands yeux, a vraiment des lueurs d'intelligence et d'âme. La larme aux cils, il observe le Jupiter qui va aller à la guerre. Ses mains se resserrent à remuer des pensées.

Alain dépasse des petits ânes exténués chargés de

melons odorants et une foule d'artisans des paroisses voisines. L'un d'eux, maçon, parle d'amour, de joie et d'aise, et n'a pas tort : « J'aime la danse à m'en jeter par les fenêtres ! »

Sur la plaine séchée ainsi qu'une rôtie, l'innocence entoure le cavalier en ce chemin semé des fleurs de l'amitié : « Bonjour monsieur de Monéys », « Ça va, Alain ? Et votre mère, comment se porte-t-elle ? » François Mazière, paysan à Plambaut sur la commune de Hautefaye et au timbre haut perché – il a presque la voix du rossignol –, raconte à un autre être venu se défaire de ses deux bœufs qu'il gourmande parfois en patois : « Aqui bloundo ! Aqui ! Véqué ! »

Celui qui marche à ses côtés, de Monéys le connaît aussi. C'est un amusant chiffonnier d'une cinquantaine d'années. Avec son petit âne qu'il emmène partout, il récupère dans les fermes du Nontronnais les habits en lambeaux et les vieux chiffons, moyennant un prix dérisoire ou donné par charité, pour les livrer ensuite, dans des sacs, aux papeteries de Thiviers. Alain lui conseille :

— Piarrouty, vous devriez aussi venir chez nous ramasser la « peille » comme vous dites. Nous devons sûrement avoir des chiffons qu'on vous laissera pour rien, évidemment.

— Ah, merci Alain, répond l'autre en retirant son grand chapeau. Je passerai la semaine prochaine. Vous habitez bien Bretanges sur la commune de Beaussac ?

— Oui. Quand vous viendrez, dites à mes parents que c'est de ma part.

Cet homme, d'habitude si drôle, Alain lui trouve, là, un air mélancolique avec sur le dos son lourd crochet pour peser les sacs de chiffons. Le cavalier demande :

— Quelque chose vous chagrine, Piarrouty ? Je ne vois pas votre fils avec vous, aujourd'hui. Il n'est pas malade au moins ?

Le chiffonnier hoche la tête, se recoiffe de son chapeau. Là-bas – après des pelades d'herbes jaunes et les genévriers, bien au-delà des mouillères de la Nizonne où stagnent les eaux mortes qui empoisonnent le bétail, propagent les fièvres et les épidémies –, de Monéys aperçoit la petite fumée blanche d'une locomotive à vapeur. Mazière, près du chiffonnier, dit :

— C'est l'avoine de nos bêtes qui part de Périgueux par wagons entiers pour la Lorraine.

Alain attaque au galop la montée de la route en courbe qui mène à Hautefaye puis tire doucement sur la bouche de l'alezan qui ralentit l'allure en secouant la tête et s'immobilise devant l'école – maison un peu isolée avant le bourg. Il descend de la selle en s'appuyant contre un chêne-liège. L'arbre est tendre s'il faut juger d'après l'écorce. Il tend la bride à un garçon de quatorze ans :

— Tiens, Thibassou, attache mon cheval avec les autres. Je t'en confie la garde.

Il offre une pièce qui ravit l'adolescent :

— Merci monsieur de Monéys.

Près de Thibassou, une femme très voluptueuse, assise sur une chaise à l'ombre d'un tilleul, avec son tambour à broder, lève les yeux vers lui :

— Tiens, Alain !

— Ça va, madame Lachaud ? Votre instituteur de mari n'est pas là ? Serait-ce donc vous qui donnez les cours en ce jour de foire ?

La femme de l'instituteur a de frais bras ronds et d'amples hanches, un corsage un peu déboutonné qu'elle ne s'empresse pas de refermer à cause de la chaleur. À sa gauche, se tient debout une fille de vingt-trois ans qui tente de réciter l'alphabet. Alain est surpris de la trouver au village :

— Vous n'êtes donc plus repasseuse à Angoulême, Anna ?

— Je voulais revenir. Vous vous souvenez de moi, monsieur de Monéys ?

— Oh oui ! Je vous avais même envoyé une lettre restée sans réponse...

— C'est parce que je ne sais pas écrire.

— Vous êtes devenue encore plus jolie en deux ans et trois mois.

Elle rougit, brune et fort belle sauvageonne. Thibassou, qui la dévore des yeux, semble penser comme Alain. Elle baisse pudiquement les paupières puis reprend l'enchaînement des lettres :

— A, B, C, heu...

— Recommencez mademoiselle Mondout, lui dit cérémonieusement Madame Lachaud en observant de Monéys, et tu vas y arriver car tu es intelligente.

Quelle douceur choisie de la part de la femme de

l'instituteur et quel droit dévouement et ce tact !
Mais voilà qu'on appelle Anna :

— Qu'est-ce que tu fais à l'école, à ton âge, surtout un jour où l'on est débordé à l'auberge ? Viens
plutôt servir et, tout à l'heure, tu trairas nos chèvres
dans la bergerie du maire pour donner à boire aux
dames.

— Oui, oncle Élie.

Anna Mondout s'en va. Alain la regarde.
Madame Lachaud soupire en soufflant à l'intérieur
de son corsage entre les gros seins perlés de sueur :

— Ah, dans ce pays du lait et de la châtaigne, le
retard de l'alphabétisation... Seule la moitié des
conseillers municipaux de Hautefaye savent écrire
leur nom. Sur tout le territoire de la commune, il n'y
a que neuf garçons qui étudient.

— Que voulez-vous, madame Lachaud, un enfant
à l'école c'est deux bras en moins à la maison et
dans les champs. Faut comprendre.

En quittant la femme de l'instituteur qui acquiesce
et remonte un peu sa jupe, Alain poursuit pour lui-
même :

— Ils ont des malheurs et leurs larmes valent mes
pleurs...

Un colporteur au bord de la route sort de sa balle
des merveilles puériles – bagues dorées, images sati-
riques, et des miroirs magiques pour amoureux où
l'on peut lire « JE T'AIME » lorsqu'on souffle son
haleine dessus. Il en tend un devant la bouche
d'Alain qui exhale puis le recule. Sur le verre du
miroir, à la place de son reflet, de Monéys ne voit

qu'une brume grise uniforme dans laquelle apparaissent les lettres de « JE T'AIME ».

Il s'avance en claudiquant légèrement comme s'il souffrait d'un gravier dans une bottine. Il tire de sa poche une montre à gousset. Les aiguilles indiquent quatorze heures. Au bourg, la frairie de la Saint-Roch bat son plein. Il arrive paisiblement à la foire.

3

L'entrée dans Hautefaye

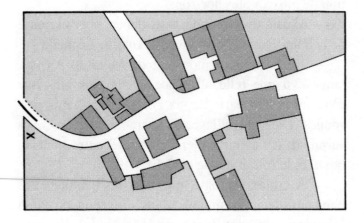

Des paysans qui se retournent le saluent, se poussent pour le laisser passer. La foule se fend, s'ouvre en courbe. Vu du ciel, on dirait un sourire. Il entre, la bouche se referme derrière lui :

— Mais c'est noir de monde, là-dedans !

À gauche, le pré qui contourne le jardin triangulaire du curé collé au presbytère et l'église est devenu pour la journée le parc aux gorets et le marché aux ânes. Il s'y dirige. La foire ne s'étend pas sur la prairie de droite car, en bord de route, un muret de pierres sèches la clôture.

Des gens continuent d'affluer à Hautefaye. Il en vient de partout. Alain les regarde grimper en tenue de « petite sortie » – chapeau plat, blouse, sabots, rubans. Ils tiennent chacun, à la main, un bâton ou un aiguillon pour piquer les bœufs. Il les voit, en colonnes, grimper vers le sommet de la colline où se trouve ce bourg promontoire d'où l'on a la révélation de plus amples horizons.

— Mais que de monde, cette année, pour la frairie de la Saint-Roch ! N'est-ce pas, Antoine Léchelle ?

— Tiens, bonjour monsieur de Monéys. Ah oui, jamais vu une telle affluence. Deux fois plus que d'habitude. On parle de six cents à sept cents personnes. Dans un village de quarante-cinq âmes, ça surprend. La cohue s'étend jusqu'à l'autre bout du bourg et le foirail du lac asséché.

— À croire, Antoine, que tous les habitants des hameaux de la commune, dans un rayon de vingt kilomètres, se sont donné rendez-vous ici. Et vous, ça va ?

Près d'un panier d'osier au sol, Léchelle répond :

— Ça irait mieux avec de l'eau ! À Feuillade, il n'en est pas tombé une goutte depuis huit mois. Les récoltes sont anéanties. La canicule a tout brûlé. Le bétail crève.

Ce paysan angoissé fait tourner son chapeau entre ses mains :

— On dit que c'est la comète. Faudrait pas

qu'elle nous tombe sur la tête ! Et le baromètre qui continue de monter...

Derrière lui, quelques broutards chancèlent.

— Je ne vois pas de femelles parmi vos pauvres bestiaux, Antoine. Je cherche une génisse pour la Bertille.

— Elles sont avec les vaches, là-bas, au bord du lac asséché.

— Et comment se porte le commerce ?

— Mal. On ne trouve plus de marchands prêts à nous défaire de nos animaux. Je n'ai jamais vu ça. Tout se détraque cette année et les poules ne pondent guère...

— Mettez vos œufs à l'ombre, Antoine. Ils vont cuire au soleil.

— Ah, mais oui. Où ai-je la tête, aujourd'hui ?

De Monéys poursuit son chemin en essayant de se frayer un passage parmi les taons opiniâtres qui harcèlent les bêtes, les odeurs saturées d'animalité, les cris des charlatans, le brouhaha des conversations dont il perçoit des bribes : « Cette sécheresse ! On va bientôt sucer les pierres », « J'ai la gorge aussi sèche qu'une mèche d'amadou. J'ai peur, en crachant, de foutre le feu ! » Un petit monsieur âgé, marchand de parapluies, se plaint de ne pas en avoir vendu un seul cette année. Il dit cela à un tailleur d'habits de Nontronneau – Sarlat – qui, voyant Alain derrière ses binocles et reconnaissant le costume d'été qu'il a confectionné, griffé, lève un pouce et cligne de l'œil pour faire comprendre qu'il lui sied. Dans des effluves de fritures, de

viandes et de beignets, que presque personne ne
peut s'acheter, quelqu'un relate une anecdote :

— Alors le préfet de Ribérac a demandé au maire
de Hautefaye : « Avez-vous des radicaux dans votre
commune ? » L'autre lui a répondu : « Nous avons
des radis roses, des radis noirs, mais pas de radis
cots ! »

Un savetier s'esclaffe :

— Ce Bernard Mathieu, il a parfois de ces
sorties ! Je ne sais pas où il va chercher ça. Il dit toujours des choses inattendues.

Autour de lui, ça rit mais Alain sent que l'endroit,
cette année, fait semblant d'être gai. Des hommes
suant, au corps bruni par le grand air, coupent du lard,
frottent de l'ail sur des croûtons qu'ils avalent en rou-
lant des yeux inquiets. De Monéys voit, de l'autre
côté de la route, le chiffonnier, qu'il a tout à l'heure
dépassé à cheval et à qui il a promis sa « peille », s'asseoir sur le muret de pierres sèches avec un air catas-
trophé.

— Mais qu'est-ce qu'il a, cette année ?

Un voisin explique :

— Piarrouty a appris hier que son fils est mort à
Reichshoffen d'un tir de mitrailleuse dans la tête.
Une lettre est arrivée à la mairie de Lussas. C'est un
de ses amis blessé qui a écrit qu'on l'a retrouvé en
mille morceaux. Il avait pourtant tiré un bon numéro
mais un fils de pharmacien, qui en avait tiré un mauvais, a acheté le sien chez Pons.

Le père chiffonnier avec son lourd crochet sur
les cuisses, bouteille de vin à ses pieds, reste prostré,

accablé d'avoir vendu son enfant comme remplaçant. Un bourdonnement monte de la foule. Des petits groupes se forment... Sous le soleil, la chaleur devient lourde, oppressante.

Alain touche des mains d'honnêtes agriculteurs qu'il croise. Des petits propriétaires comme lui circulent, venus en affaire. À leurs doigts, l'éclat bourgeois des bagues. Ils prennent langue avec des métayers en rupture de « baillette », se promettent d'en reparler à la Saint-Michel – date à laquelle les patrons et les employés règlent leurs comptes annuels. Pierre Antony, voisin et ami, file sur de Monéys :

— Ah, Alain, je voulais te féliciter de ton élection à l'unanimité à la tête du conseil municipal de Beaussac ! Ce n'est que justice.

Un maçon, de Beaussac également, partage cet avis et lui parle de son père : « C'est Amédée qui doit être fier ! ». Puis, il demande :

— C'est quoi, votre projet de drainage de la Nizonne dont beaucoup parlent ?

— Il s'agirait, Jean Frédérique, d'aménager le système d'écoulement de la rivière qui se perd inutilement dans les champs. Les terres incultes seraient transformées en pâturage. Notre contrée insalubre deviendrait un paysage riant et prospère. Ce serait là, des travaux dont chacun tirerait encore directement profit dans cent ans. J'ai fini ce matin mon rapport que je vais envoyer au gouvernement.

Jean Frédérique se prend à espérer en lui serrant chaleureusement les mains :

— Ah, si cela pouvait chanter à l'oreille de ces messieurs du ministère, ce ne serait pas de l'encre perdue.

Pierre Antony, admiratif, s'exclame et le flatte :

— Tu devrais te présenter à la députation !

— Oh, j'ai bien assez d'être devenu adjoint à la mairie de Beaussac. Mes ambitions politiques s'arrêtent là.

Puis il demande au maçon s'il aurait repéré dans cette cohue le charpentier de Fayemarteau.

— Brut ? Je l'ai vu tout à l'heure en terrasse mais je ne sais plus si c'est à celle d'Élie Mondout ou de Mousnier.

Alain de Monéys regarde vers les deux auberges situées au centre du bourg et prises d'assaut. Les hommes sont autour de tables. Les bouteilles passent de main en main. Il y a tant de monde dans ces auberges qu'Anna Mondout – la belle jeune fille qui aimerait savoir lire et écrire – apporte aussi des pichets à l'entrée de la foire. Elle sert d'abord les maquignons, debout contre le mur de jardin du curé. Leurs godets s'entrechoquent dans des éclats de lumière :

— À l'empereur ! À la victoire ! À la destruction de la Prusse, à la mort de Bismarck ! Celui-là, s'il lui prenait l'idée de venir à Hautefaye, il se rappellerait son voyage...

Elle verse ensuite son nectar dans des bols de terrassiers, de hongreurs, charrons, qui voudraient savoir :

— C'est-y la pluie que vous nous portez ?

— C'est du noah de Rossignol.

Les hommes goûtent et diagnostiquent :

— Fi-de-garce, ça tape sur les cornes.

Ils donnent trois sous et trouvent que le vin coûte cher. Anna – mignonne pâlotte, œil noir sous des cils longs –, en robe grise et verte, va. Son chapeau de paille s'envole et le soleil s'empourpre dans ses cheveux. Près d'elle, un camelot propose les exemplaires d'un paquet de journaux qui vient d'arriver par la patache de Nontron. Même ceux ne sachant lire que quelques grosses lettres en achètent aussitôt et tentent de déchiffrer la une de *L'Écho de la Dordogne*. Certains tiennent le journal à l'envers :

— Je n'ai pas mes lunettes. Quelqu'un peut lire ce qu'il y a écrit ?

Un grand homme de dos, en redingote noire, fait à voix haute la lecture du titre sur cinq colonnes qu'Alain n'a pas voulu dire à sa mère : « DÉFAITES À FRŒSCHWILLER, REICHSHOFFEN, WŒRTH, FORBACH » et il résume, commente, l'éditorial dessous :

— Les choses ne vont pas aussi bien qu'on aurait pu le souhaiter pour les armées françaises à la frontière. L'empereur est foutu. Il n'a plus de cartouches.

De Monéys reconnaît la voix arrogante. C'est celle de son cousin, Camille de Maillard, qui poursuit avec faconde :

— Cette guerre incompréhensible, soi-disant « fraîche et joyeuse », tourne au désastre. Le ministre de la Guerre avait pourtant promis : « Nous sommes prêts, archiprêts. De Paris à Berlin, ce sera une balade de santé, la canne à la main. » Eh bien, dites-moi... Reichshoffen fut une boucherie.

Sur son muret, Piarrouty lève et tourne les yeux. Autour du cousin d'Alain, la nouvelle frappe les gens comme un coup de poing. L'un d'eux s'insurge :

— Ce n'est pas vrai ! C'est impossible ! Vous ne dites pas ce qu'il y a ! L'empereur qui a battu les Autrichiens en Italie et les Russes en Crimée ne saurait tenir tête à des Prussiens ? ! Allons donc...

— Nos armées ont dû se retirer derrière la Moselle ! affirme de Maillard. C'est écrit dans le journal.

Un silence de paysans s'installe autour de l'annonceur de mauvaises nouvelles. Beaucoup regardent leurs pieds ou sur les côtés. Le terrassier de Javerlhac paraît désolé que son petit verre soit déjà vide et de ne pas avoir les moyens de le faire emplir à nouveau :

— Vous êtes une bête...

Un scieur de long au Vieux-Mareuil contemple une grosse mouche qui marche sur son doigt :

— ... Et ne savez pas plus lire que nous...

La mouche s'envole et se pose sur le nez du boucher de Charras qui la chasse :

— ... Les Français ne reculent jamais !

Mais de Maillard insiste. Il affole maintenant les parents de soldats en certifiant qu'il sait de source sûre que les derniers combats furent encore plus meurtriers que *L'Écho de la Dordogne* ne l'écrit, que le gouvernement a donné l'ordre de ne pas divulguer les vrais chiffres afin de ne pas paniquer les populations... que la guerre est perdue, que Napoléon III sera défait et que peut-être plus rien ne pourra arrêter la progression des Prussiens en France. « Hélas », grimace-t-il, mais personne n'entend son soupir.

Son analyse pessimiste de la situation provoque l'indignation. Un âne brait. Les porcs cognent du groin contre les planches. Deux hommes, en tablier de cuir et armés d'un aiguillon, piquent un veau. Les fondichous se mettent à faire tinter leur chaudron d'étameur à coups de maillet. Les maquignons, fouets autour du cou, s'approchent, parlent de plus en plus haut. Les effluves du noah gonflent les cerveaux. Un paysan, tortillant d'une main le pan de sa blouse et sans se risquer à lever les yeux, grommelle d'une voix sourde :

— Si c'est pas malheureux d'entendre des choses pareilles. À croire qu'il y en a qui sont contents de ce qui arrive...

La vinasse empeste des bouches qui s'ouvrent :

— Vive la Mobile !

Près de Camille de Maillard, son domestique Jean-Jean doit ressentir un danger, que l'effondrement du commerce, la sécheresse et maintenant la peur de l'invasion, empoisonnent le climat de la foire. Il chuchote quelque chose, comme un conseil urgent, à l'oreille de son maître. De Maillard tourne la tête de profil. Alain le reconnaît tout à fait, en favoris de coupe un peu Louis-Philippe. Soudain, l'arrogant détale en bousculant des gens et saute pardessus le muret à droite de la route, court en compagnie de Jean-Jean sur la prairie en pente qui descend

vers un petit bois. Trois paysans passent aussi la clôture et les poursuivent – on dirait un jeu d'enfants,
des petits soldats de plomb sur une couverture de
laine verte – mais les agriculteurs s'arrêtent bientôt,
gênés par leurs sabots. De Maillard et son domestique
filent à toutes jambes. Des gens semblent furieux de
l'avoir laissé partir. Les poursuivants reviennent.
Après avoir repassé le muret de pierres sèches, ils
scrutent autour d'eux. De Monéys se dirige en riant
et claudiquant dans leur direction :

— Eh bien, mes amis, que se passe-t-il ?...

— C'est votre cousin, explique un colporteur. Il a
crié : « Vive la Prusse ! »

— Quoi ? Mais non ! Allons donc, j'étais auprès
et ce n'est pas du tout ce que j'ai entendu. Et puis je
connais assez de Maillard pour être bien sûr qu'il est
impossible qu'un tel cri sorte de sa bouche : « Vive
la Prusse »... Pourquoi pas « À bas la France ! » ?

— Qu'est-ce que vous venez de dire, vous ?

— Quoi ?

— Vous avez dit « À bas la France »...

— Hein ? Mais non !

— Si, vous l'avez dit ! Vous avez dit « À bas la
France ».

— Mais non, j'ai pas dit ça ! J'ai...

Le colporteur demande aux gens près du muret :

— Que ceux qui l'ont entendu crier « À bas la
France » lèvent la main !

Un bras se tend vers le ciel :

— Ah, moi, je l'ai entendu dire « À bas la
France »...

D'autres pognes se lèvent, cinq, dix... Des paysans qui n'ont peut-être même pas entendu la question, voyant les autres, lèvent la main à leur tour. Des gens demandent à leur voisin ce qui se passe.

— Il y en a un qui a dit « À bas la France ! ».

Une forêt de bras se dressent pour en témoigner.

— Qui a crié « À bas la France » ?...

— Celui-là.

Jean Campot arrive à la gauche d'Alain, lui tord l'oreille. Son frère Étienne lâche le licol du boulonnais Jupiter et gifle de Monéys à toute volée. Frédérique, venu par la droite, lui lance son poing de maçon au creux de l'estomac !

4

Le muret de pierres sèches

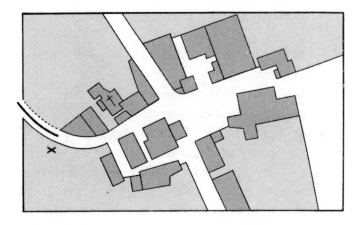

Genoux à terre au bord de la route, souffle coupé et les paupières closes, un voile uniforme emplit le regard d'Alain. Il s'attend à voir apparaître les lettres majuscules de « JE T'AIME » mais il entend :

— Ordure, fumier !...

Il ouvre les yeux, lève la tête, et découvre au-dessus de lui une cinquantaine de visages haineux qui se resserrent. Leurs iris qui ne reflétaient que douceur sur sa personne ont pris une teinte de fiel qui fait mal à voir. Ayant repris haleine, il se lève et, d'une voix cassée, s'adresse à eux :

— C'est une méprise, mes amis. Vous vous trompez...

Quelqu'un le menace du poing :

— Du succès de nos ennemis, vous vous réjouissez !

— Mais non !

— Vous souriez !

— Mais non !

— Nous allons nous faire tuer et vous, vous restez !

— Mais non, je pars dans une semaine comme simple soldat...

— Vous envoyez de l'argent aux Prussiens !

— Je serais fou d'envoyer de l'argent à l'ennemi quand je dois partir pour le combattre...

Pierre Antony arrive, trouve Alain livide et murmure à son oreille : « Sauve-toi vite. » De Monéys se retourne mais ne peut s'échapper. Des gens qui ont passé la clôture de pierres sèches se sont postés derrière afin de l'empêcher de fuir comme son cousin l'a fait. De toute façon, à cause de sa patte qui boite, il n'aurait pu courir bien vite ni loin. Il a un instant de vertige et voit venir, lentement sur le muret, Piarrouty tenant entre ses poings son crochet pour peser les sacs d'oripeaux. Les jambes d'Alain sont elles-mêmes en chiffons. Il chancelle tels les broutards d'Antoine Léchelle qui, tirant sa veste, le fait pivoter et le voue aux gémonies comme beaucoup d'autres :

— Saloperie ! Pourriture !...

Il croit vivre un cauchemar. Il cherche autour de lui un visage qui ne serait pas empli de haine. Antony s'est fait happer par le col et a été rejeté en arrière par la foule : « Fous le camp, toi ! » Dans la vie d'Alain, il n'est rien arrivé de plus masque et tambour basque. C'est un joli pêle-mêle de ballet turc. Il a beau faire la paix partout : « Mes amis, mes amis !... », il ne reçoit que des insultes. Le public mâchonne sa gloire. Orage de colère et tourbillon d'injures ! Ah, malheur à celui pris dans cet affreux pot... Vaudrait mieux un ours et les jeux de sa patte. Des badines traîtresses lui cinglent les joues. Coups de fouets, cravaches, son habit a maintenant quelque détail blagueur, un bouton manque. Un fil dépasse. D'où vient cette tache ? – ah ça, mal venue. Un coup d'aiguillon enfonce son canotier sur les yeux. Des gens crient : « Bravo, bien visé ! » Il veut remettre son chapeau. On lui arrache. Le canotier vole dans la foule. Ils se le passent, se le disputent, s'en coiffent. Derrière eux, un homme-ratier tue des rats d'un coup de dents près d'une lessiveuse grouillante de bêtes grises et le vieux Moureau, à son stand de foire, fait tirer ses coqs à coups de pierres : « Un sou, les trois coups ! Celui qui tue un coq l'emporte. »

Contre le mur de jardin du curé, Anna Mondout regarde de Monéys, hébétée. Un air d'infinie bonté transparaît dans son regard à la fois prenant et fragile. Nature sensible, elle est attentive aux yeux d'Alain presque en pleurs dans cette incertitude. Il a peur. Il lui faudrait à tout prix un secours prompt et fort. Heureusement, un coin de ciel s'ouvre comme

une porte. Philippe Dubois et Mazerat – paysan en
blouse et bûcheron barbu – s'interposent devant ses
agresseurs. Ils parent plus ou moins habilement des
coups qui lui sont destinés. Le meunier de Connezac
– Bouteaudon – arrive à son tour en criant aux gens :
« Arrêtez ! » Antony, bouille ronde, revient et fait
face à Jean Frédérique qui s'époumone en désignant
Alain :

— C'est un traître, un espion, un ennemi... un
Prussien !

Tout le monde, derrière lui, reprend aussitôt en
chœur : « C'est un Prussien ! » et ameutent les autres
encore plus en arrière : « Venez, on a chopé un Prussien ! »

— Un Prussi-i-ien !... hurle le maçon de Beaussac à en perdre la voix.

— Mais, bougre de couillon, lui lâche Pierre
Antony, ce n'est pas un Prussien, c'est Alain de
Monéys ! Dix minutes avant que tu lui donnes un
coup dans l'estomac, imbécile, tu lui demandais
devant moi de t'expliquer son projet d'assainissement de la Nizonne. Vous parliez ensemble !

— Je n'ai jamais parlé à un Prussien !

— Mais, nom de Dieu, Jean Frédérique, tu as
même voté pour lui !

— Ce n'est pas vrai !

— Je t'ai vu, mercredi dernier, sortir de l'isoloir à
la mairie de Beaussac...

— Je n'ai pas voté pour lui !

— Mais Frédérique, il a été élu à l'unanimité.
Tout le monde a voté pour Alain.

— Je n'ai pas voté pour lui !

— Et t'as bien fait !... crient les autres autour. On ne vote pas pour un Prussien !

— Jean Frédérique, hé, Frédérique, réveille-toi ! s'exclame Antony en agitant les bras comme pour sortir l'autre d'une sorte de rêve. Mais le maçon de Beaussac réussit, par-dessus les épaules du défenseur, à frapper Alain d'un grand coup de bâton en plein visage qui lui fait pousser un double cri :

— Ach ! Oh...

— Vous avez entendu : « Ach so ! » Il parle allemand. C'est un Prussien !...

Des hommes en sabots, des garçons, des vieillards, peu de jeunes gens entre dix-huit et trente ans – ils sont partis à la guerre – crient :

— C'est un Prussien ! Prussien, tête de chien, Prussien !

De Monéys qui n'avait pas de surnom, lui en voilà un. Il a beau répéter : « Je suis Alain de Monéys, Alain de Monéys », ses paroles glissent sur la foule sans oreilles. C'est le refus d'accepter son identité réelle. Bouteaudon, Dubois, Mazerat et Antony ne cessent pourtant de la clamer, mais la horde aux chapeaux de paille ne veut rien entendre.

— C'est un ennemi qu'il faut faire souffrir !...

Un monsieur mal luné qu'Alain n'attendait guère, ombrageux comme un cheval de race, gueule que c'est un Prussien et lève haut son gourdin. Mazerat lui bloque le bras :

—- Malheureux, c'est Monsieur de Monéys que tu allais frapper.

— Tais-toi et laisse-nous défendre la patrie. C'est un Prussien. Bourrons-le, nom de Dieu !

Quelqu'un envoie à Alain un coup de pied dans les fesses.

— Allez, crie « Vive l'empereur », cochon de Prussien !... Allez, crie, sac à merde, crie !

Il s'y résout :

— Vive l'empereur !...

— Plus fort, Prussien, plus fort !

Il reçoit des chocs à tuer un âne, des coups d'aiguillon sur les bras, les épaules. Sa chemise se lacère.

— Frappez-le, ça fera venir la pluie !...

Des gens jouent des coudes et s'approchent au premier rang. Alain recule sous leur poussée contre la clôture de pierres sèches. Et là, il reçoit un tel coup au crâne qu'il croit que sa tête éclate. Il pivote, découvre son ombre absurde glissant le long du muret sur lequel se tient Piarrouty, crochet ensanglanté entre ses mains. De Monéys bascule parmi les hourras et entraîne le vacarme de pierraille du muret qui s'effondre jusqu'au vieux cerisier plus loin. Il se relève aussitôt en glissant, dérapant ridiculement sur les pierres, porte les bras à sa tête puis les tend devant lui. Les manches de son costume de nankin jaune sont barbouillées de rouge. « Zut, mon habit est taché. Je ne vais pas pouvoir rentrer ainsi à Bretanges. Que dirais-je à ma mère ? » Quelque chose au fond du cœur lui monte qui ressemble à de la honte. Crâne entaillé et sang qui coule le long de sa nuque. Coulez aussi, ses larmes, mais sans excès.

Tout cela va s'arranger, ils vont forcément revenir au vrai. Là-bas, Anna, doigts à la verticale de sa bouche, le contemple, affolée, avec de beaux yeux graves où s'introduit l'âme d'Alain. Mais il est repris sous l'aimable averse des gifles.

Pauvre cœur mal tombé, il devient victime d'un groupe de fantômes qui dansent comme des atomes dans la chaleur accablante dont les torréfie l'été. Antony se retrouve à nouveau rejeté en arrière par la foule ainsi que les autres alliés. Alain est seul. Celui qui parlait avec Piarrouty quand il les a dépassés en venant dans ce bourg – Mazière – hurle d'une voix stridente de rossignol. Ça fait un peu mal à la tête. Ô ces faces, ces odeurs, ces cris !

Une âpre vocifération de gorgone s'élève à son tour. Alain pivote dans sa direction. C'est la femme de l'instituteur (la femme de l'instituteur ?), debout sur une charrette aux brancards relevés. Poitrine gonflée, seins se dilatant à en exploser le corsage, Madame Lachaud tonne : « Pendez le Prussien ! » Aussitôt, cette chanson folle comme le drapeau de l'Empire court furieusement dans l'air : « Pendez-le ! »

De Monéys n'en revient pas :

— Qu'on me pende ?!...

5

Le vieux cerisier

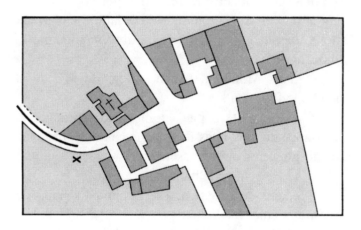

Étienne Campot défait rapidement le licol de chanvre qui entoure le cou épais de Jupiter et le tend à son jeune frère : « Tiens, prends ça pour pendre le Prussien à ce vieux cerisier qui fait face au jardin du curé » puis il ordonne encore : « Thibassou, toi qui semble agile comme un dénicheur, va donc aider Jean ! »

Alors que déjà, parmi les insultes – « Enculé de Prussien ! » –, on attrape Alain, le ligote, l'adoles-

cent, à qui de Monéys avait donné la pièce pour gar-
der son cheval, grimpe au vieux cerisier aussi vite
qu'un écureuil.

Le tronc de cet arbre centenaire a la forme d'un
« S » avec, sur la droite, une longue branche épaisse
survolant le muret maintenant écroulé. Thibassou,
tout fiérot que cette pendaison lui fournisse l'heureuse occasion de s'intégrer aux travaux des
hommes, fait du zèle. Après avoir attaché la corde à
la branche, pendant que Jean Campot confectionne
autour du cou d'Alain un nœud coulant, l'adolescent
monte dessus et, debout en équilibre, contemple la
foule, appelle :

— Anna Mondout, Anna ! Regarde. J'aide à
pendre le Prussien !

Thibassou saute à pieds joints pour éprouver la
résistance du bois mais la branche casse, s'abat avec
lui sur plusieurs des agresseurs qui, blessés, injurient
Alain, se vengent en le battant :

— Salaud de Prussien, t'as vraiment décidé de
nous faire chier !...

Cervelles en ébullition, au pied de l'arbre, ça
s'engueule entre agriculteurs et scieurs de long. Un
qui débite des planches au Vieux-Mareuil – Roumaillac – s'en prend à l'aîné des Campot :

— Aussi, quelle idée de pendre un Prussien à un
cerisier – arbre dont, on le sait, les branches sont
cassantes ! Tu devrais le savoir, Étienne ! Tu parles
d'un paysan !

— Ah mais oui, mais... s'excuse l'aîné des Campot. T'es marrant, Roumaillac, on n'est pas habitués.

Moi, des Prussiens, j'en ai jamais pendu. Je ne savais même pas comment c'était fait !

Sous l'arbre fatal où bruit l'inhumanité, Alain rappelle un détail :

— Je ne suis pas prussien... Mes amis, c'est un soldat français que vous vouliez pendre...

Campot le gifle (c'est la deuxième fois) :

— Ta gueule, Bismarck !

La foule applaudit :

— C'est bien lui qu'il faut qu'on pende !

En ce pur sénat de fous, quelqu'un propose :

— Et si on enroulait la corde plus haut mais à l'attache d'une branche au tronc ?

— Pas bête, apprécie Roumaillac en professionnel. Là, ce sera plus résistant. À l'œuvre, petits amis !

D'affreux hoquets secouent la chemise d'Alain qui entend, derrière la foule, une voix appeler entre deux bras qui gesticulent :

— Monsieur le curé ! Monsieur le curé ! Père Saint-Pasteur !...

C'est Anna qui a franchi la clôture du jardin du prêtre et court tambouriner à la porte du presbytère qui s'ouvre :

— Eh bien quoi, qu'y a-t-il ?

La nièce d'Élie Mondout hoquette comme Alain :

— Ils-ils-ils sont là sur la route, peut-être cent, autour de Monsieur de Monéys qu'ils battent, qu'ils battent comme un tapis ! Ils veulent le pendre... Ils vont le pendre, je vous dis !

Victor Saint-Pasteur rentre chez lui et ressort aussitôt avec un grand pistolet.

— Vous avez une arme ? s'étonne la repasseuse d'Angoulême.

— Héritage d'un oncle militaire !

Le curé de Hautefaye, en soutane, saute le mur de son jardin et se retrouve sur la route : « Laissez-moi passer ! En arrière ! » Il braque son pistolet sur des gens qui lui barrent le chemin : « En arrière ! »

— Laissez-le-nous, curé. Il n'a que ce qu'il mérite ! C'est un Prussien !

— Taisez-vous ! Vous blasphémez, imbéciles ! C'est votre voisin !

— C'est lui qui blasphème. Il crie « À bas la France ! »

L'athlétique Saint-Pasteur – carrure large, cou épais, accent des Pyrénées : « Poussez-vous, poussez-vous, congs ! » – parvient presque jusqu'à de Monéys et vise le chiffonnier qui lève une nouvelle fois son crochet au-dessus du crâne démoli. Le prêtre lui colle son pistolet sous le nez :

— Lâche ça, Piarrouty, ou je tire !

— Mais, monsieur le curé, c'est à cause de lui qu'on a retrouvé mon fils en mille morceaux...

— Lâche ce crochet ou je tire !

Antony rejoint l'abbé, saisit l'ustensile du chiffonnier, le jette et retire la corde autour du cou d'Alain, défait ses liens tandis que des voix s'élèvent :

— Antony et vous, curé, êtes des traîtres !...

— Criez donc « À bas la France ! » si vous en avez le courage ! demande quelqu'un.

Le prêtre se retourne et tonne d'une grosse voix de bon Dieu :

— Non monsieur, je crie « Vive la France ! ». Je fais des quêtes pour nos blessés, des prières pour les combattants ! Vous le sauriez davantage si on vous voyait plus souvent à Notre-Dame-de-l'Assomption...

— Eh bé, si vous criez « Vive la France », faut nous payer à boire, réclame le terrassier de Javerlhac. Faites couler gratis le vin de messe. Ça nous fera une occasion d'en boire à la santé de l'empereur !

Le curé de Hautefaye hésite une demi-seconde puis s'exclame :

— Bien volontiers ! Je vous attends au presby-tère. Et Monsieur de Monéys trinquera avec nous.

— Qui c'est, celui-là ?

— Mais l'homme que vous maltraitiez, mécréants !

— Le Prussien ?

Beaucoup abandonnent leur proie et se ruent au jardin du curé qui distribue les verres et sert lui-même tous ceux qui se présentent. Anna emplit aussi des godets à la stupeur de son oncle venant d'arriver près du presbytère :

— Est-ce que je rêve ?... Plutôt que de nous aider à l'auberge, tu secondes le curé qui casse le commerce ?

— Mais, oncle Élie, c'est parce que si vous saviez, si vous saviez ce que...

— Oups ! Je ne veux rien entendre. Retourne chez nous chercher les seaux pour aller traire les chèvres dans la bergerie du maire. Des dames attendent.

— Mais, mon oncle...

— File ou préfères-tu redevenir repasseuse à Angoulême ?

Alors que l'aubergiste entraîne sa nièce, des gens apprécient le vin de messe :

— Ça fait du bien par où ça passe.

— Comme quoi on a bien fait de lui bastonner sa gueule, au Prussien, sinon on aurait rien eu à boire !

Le curé les ressert, trinque, boit des fonds de verre pour casser l'élan des violences par ce rituel de cordialité. Il s'ouvre grand comme une église. Jésus pardonne des milliards de fois par la bouche du prêtre :

— Buvez comme permis mais, sacrebleu, surtout n'allez plus perdre haleine à tant cogner un innocent !

Thibassou, qui près d'Alain hésitait, s'élance :

— Après tout, maintenant je suis un homme : j'ai failli pendre un Prussien !...

Ses quatorze ans mutins et maigres rejoignent les pères de famille qui crient :

— À la santé de l'impératrice et du petit prince impérial !

Le jardin du presbytère où le vent, en plis de gloire, frissonne est vite rempli de monde. D'autres, restés autour du cerisier, s'y dirigent finalement afin de profiter aussi de la distribution gratuite : « Monsieur le curé l'a dit, écoutons sans cesse Monsieur le curé ! » Certains vont vers le marché aux ânes ou les auberges du bourg exhiber leur bâton taché du sang d'Alain. Quelques-uns reprennent les transactions au bord de la route : « Donc, combien tu disais, là, pour ces deux poulets chétifs ? » La foule se morcelle, se repose.

La grosse branche de cerisier tombée au sol craque et ses feuilles sèches font un bruit de papier froissé. Des souliers et des sabots dérapent dans des éboulis du muret. Ce sont Antony, Dubois et Mazerat qui arrivent et soutiennent de Monéys sous les bras en s'interrogeant :

— Où l'emmener ? On ne peut pas lui faire traverser la prairie vers le petit bois. Vu du jardin du curé, il serait aussitôt repéré et comme il ne peut guère courir...

— Revenir en arrière jusqu'à son alezan est risqué, suppose Mazerat. Beaucoup de ceux qui l'ont frappé sont allés s'en vanter au parc à gorets. S'ils le revoyaient passer...

Bouteaudon, qui a rejoint les autres partisans, suggère :

— Emmenons-le à la mairie.

— Il n'y en a pas à Hautefaye, répond Antony, mais c'est vrai qu'on pourrait le conduire au maire maréchal-ferrant. Allez, viens, Alain, chez Bernard Mathieu, dit-il ensuite. On va te tirer de là. Ces gens ont perdu la tête...

— Merci Pierre, Philippe. Merci tous mes amis. Je crois que sans vous et le curé, ils m'auraient écharpé...

Le fort meunier de Connezac le prend sur ses épais avant-bras comme s'il était un sac de farine :

— Laissez-moi vous porter, monsieur de Monéys.

Alain regarde avec douceur ce protecteur qu'il ne connaît guère que de vue :

— Ah, mon ami, j'accepte volontiers.

— Pourquoi, profitant de la diversion du curé, l'emmenez-vous chez le maire ? se fâche le boucher de Charras qui les poursuit.

— S'il y a des explications à avoir, elles auront lieu devant le seul représentant de l'empereur sur la commune, répond Antony.

— Ça ne se passera pas comme ça ! Faut nous le laisser ! Il est à nous ! s'exclame le boucher. Je vais prévenir les autres. Hé, les gars !...

Pierre, qui ignore ces menaces, demande à Alain comment il se sent.

— J'ai tellement mal au crâne.

— Ah ça, c'est sûr, ce Piarrouty te l'a fracturé. Mais le maire enverra chercher à Nontron le docteur Roby-Pavillon qui arrangera ça. Et plus tard, tu en riras.

Tandis qu'ils vont plus avant dans le bourg, pauvre tête en feu, de Monéys gémit :

— Ils m'ont pris pour un Prussien...

— C'est parce qu'ils nient l'évidence et tentent d'exorciser la défaite à laquelle ils refusent de se résigner, analyse Dubois.

— Ces gens en te battant ont cru se porter massivement au secours de l'empereur et de la France.

— Ah, c'est ça...

Dès lors, Alain va flottant, hagard et comme ivre. Voilà.

6

La porte du maire

Lui qui se disait : « La dure épreuve est finie, mon cœur pourra de nouveau sourire à l'avenir », il sent que l'illusion replie son aile.

— Tout beau, ceci ne sera pas ! s'exclame le fromager de Jonzac.

La foule recommence à chanter son air en son endroit :

— C'est lui, lui !... la cause de nos malheurs !

Des colères arrivent bien vite au trot depuis le jardin du curé, le marché aux ânes et aux gorets, les deux auberges situées au centre du bourg où les émeutiers ont alerté du monde : « On a trouvé un Prussien dans la foire ! »

— Un Prussien ? !

Alors, soudain, comme un orage horrible, énorme, tant de clameurs déboulent de partout aux oreilles d'Alain et il a peur. Après tout, ce bruit n'est pas pour annoncer ses noces. Telle une armée, ils rappliquent, fumants – des hommes en blouse et chapeau, quelques femmes à chignon, jupe de toile rêche et tissu sur la tête.

— Allez, allez ! Au Prussien ! Au Prussien !

Au bord de la route, des gens pillent le tas de bois de chauffage du presbytère pour s'armer de « bonnes barres ». Ils sont bien trois cents avec des bâtons, des faux et des fourches. Et revoilà de Monéys par tous un peu fêté aussi à coups de poing dans les bras du meunier de Connezac qui se trouve obligé de le reposer au sol car les gens le frappent aussi.

Ô quels baisers, quels enlacements fous ! Genoux à terre, Alain en rirait lui-même à travers les coups et ses pleurs. C'est comme si le public avait, tout à l'heure, relâché un instant la pression, laissant du temps aux défenseurs, afin de mieux jouir ensuite de l'anéantissement des espérances. L'effervescence gagne et la soif du sang est là.

— Pas de rat de cave à Hautefaye ! Il faut le détruire !

Les mailles de la rumeur hostile se resserrent. On pourrait se croire dans un jeu de fête foraine – quilles à abattre, mâts de cocagne, tourniquets, courses en sac ou courses modernes à vélocipède. Le vieux Moureau quitte son stand de tir aux coqs et lui envoie un grand coup de pied dans la tête qui arrache une touffe de cheveux. Il rejoint les autres en montrant la pointe de son sabot souillé de sang avec des cheveux collés :

— Je ne l'ai pas raté.

— Bravo, c'est toi qu'a gagné un coq ! clame la population.

Outré, le fermier Philippe Dubois tend un index vers l'aïeul du Grand-Gillou :

— Vieux fou, songe plutôt au jour où tu devras régler ton compte !...

Dans l'immense effort pour se relever en ce cirque d'erreur et protégeant sa tête, Alain a beau rappeler : « Qu'on l'entende comme on voudra, bonnes gens, ce n'est pas ça ; je vous dis que ce n'est pas ce que vous pensez. Je ne suis pas prussien... », la vindicte populaire le blesse, chinoisement, à coups de fourche, quelle affaire ! Et Thibassou (quatorze ans) trouve aussi un cruel plaisir à le frapper, demande un grand couteau.

Les protecteurs se battent pour lui faire parcourir les quelques mètres qui le séparent encore de l'étroite venelle sur laquelle donne l'habitation du maire face à son atelier de maréchal-ferrant. Au bout, c'est sa bergerie.

— Bernard Mathieu ! Bernard Mathieu !

En haut de trois marches, la porte de la maison, qui sert de mairie les soirs de conseils et les jours d'élections, s'ouvre. Un gros homme de soixante-huit ans sort en mâchant et s'essuyant les mains à l'écharpe tricolore qui ceint sa poitrine comme à une serviette de table. Il reste planté et, front plissé, observe Antony et Dubois qui mènent Alain jusqu'à lui :

— Monsieur le maire, monsieur le maire ! Voilà Monsieur de Monéys que l'on maltraite ! Il faut le protéger ! Faites-le rentrer chez vous !

Bernard Mathieu qui venait de descendre une marche la remonte aussitôt, découvrant maintenant le spectacle de tous ces gens s'engouffrant dans la ruelle pour frapper Alain à coups de sabots, lui bouter cent ruades en forme de reproches bien sentis. Ils font le cri des chats ! Des sifflets viennent et vont alors que le grand barbu Mazerat n'admet pas l'inertie de l'officier municipal de Hautefaye :

— Mais faites vite quelque chose, monsieur le maire ! Ces gens sont fous. Vous connaissez Monsieur de Monéys !

— Je le connais, je le connais... Il n'est pas de la commune.

Alain cherche à se protéger avec les avant-bras. Hélas, il n'en a même plus la force dans ses vêtements déchirés d'une façon si triste et folle en vérité.

— Mais, Bernard Mathieu, aidez-nous à le sauver sinon que va-t-il se passer ?

Le maire balbutie : « Et que voulez-vous que je fasse sans gendarmes ? Qui sont ces gens qui s'en prennent à lui, des étrangers ? »

— Mais vous les connaissez tous ! Regardez :

Campot, Léchelle, Frédérique et les autres... Ordonnez-leur de laisser Alain tranquille.

Mathieu descend deux marches :

— Eh ! Oh ! Vous, là, c'est fini, oui ? Laissez ce monsieur. Si vous avez des reproches à lui faire, allez voir la justice...

— La justice, c'est nous ! crie Roumaillac.

— Justice de fous ! commente Antony.

« Mathieu, je vous adjure de le faire rentrer chez vous ! » insiste Mazerat. Mais la femme du maire, à la fenêtre ouverte près de la porte, ne partage pas cet avis :

— Pour qu'on vienne casser la vaisselle chez nous, et puis quoi encore ? Bernard, reviens à table !

Cette grand-mère a les mains posées sur les épaules de sa petite-fille de huit ans qui crie et panique en découvrant le déluge de poings et de bâtons qui s'abat sur de Monéys parmi des échappées de lumière, de poussière et de brouillards. Grand-père attentif, Mathieu demande :

— Alain, allez jouer plus loin, vous faites pleurer ma petite !

— Mais ce n'est pas possible, ce maire... les énormités qu'il peut dire !... se désole Bouteaudon.

— Qu'allez-vous donc faire, Bernard ? demande Antony.

— Finir ma ration de lard et mon quart de morue.

Derrière le premier officier municipal, Alain voit l'intérieur du logis auquel on ne lui donne pas accès – un seul lit, un bahut disloqué, quatre chaises, des rideaux jadis blancs conchiés de punaises. Le maire de Hautefaye claque la porte sur l'éclat fané de ce vil décor. Une clé tourne à double tour dans la serrure. Son neveu moustachu, Georges (boulanger à Beaussac), se précipite et frappe des poings aux volets de la fenêtre que sa tante vient de fermer aussi :

— Ma tante ! Mon oncle ! Ouvrez, rien que pour Monsieur de Monéys ! Il faut le protéger !

— Ce ne sont pas nos affaires !

Acculé au mur, Alain fait front aux brutes de sa voix douce :

— Mes amis, vous vous trompez. Je suis prêt à souffrir pour la France...

François Chambort – qui, enfant, a pêché les écrevisses avec Alain – l'attrape par les cheveux :

— Sûr que tu vas souffrir, on va te faire souffrir !

De Monéys s'inquiète à voir son ancien camarade de jeux, devenu maréchal-ferrant à Pouvrières, préméditer là, sous ses yeux, quelque chose de redoutable, d'inflexible et de furieux. Le maréchal-ferrant souffle bruyamment sur son chapeau et ordonne d'une voix de meneurs de bœufs :

— Emmenez le Prussien dans l'atelier en face ! Je sais tout le parti qu'on peut en tirer ! On va l'attacher au travail et le ferrer comme un cheval !

7

L'atelier de maréchal-ferrant

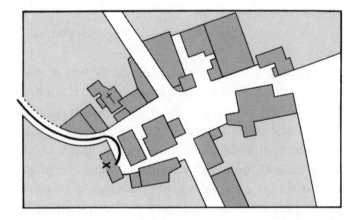

Les frères Campot le traînent à l'atelier. Buisson et Mazière lui donnent des coups de sabot dans les tibias pour le faire aller plus vite. Chambort dirige la manœuvre. La foule se presse. Madame Lachaud meugle : « Castrez-le aussi, ce fils de pute ! Il ne viendra plus flairer nos filles... »

On le fait avancer entre les quatre poteaux d'un travail à ferrer, parvient à le pousser dans l'appareil habituellement destiné aux bœufs et aux chevaux.

Couché sur le dos parmi les bois du travail et ligoté, il crie faiblement « Vive l'empereur ». Les autres l'entourent, le serrent, ça dure. Des sangles, des cordes, se tendent, lui compriment le ventre, la gorge. Il s'étrangle, tousse. Ses jambes remuent dans le vide. Duroulet, le terrassier de Javerlhac, arrache les bottines acajou, un autre ôte les chaussettes en soie couleur prune. Dans la cohue, Lamongie – gros cultivateur roux – brandit une énorme tenaille. De Monéys l'a connu enfant, ils ont déniché les pies ensemble. Lamongie dit :

— On va tailler les onglons du Prussien comme il faut !

Un dindon, jabot gonflé, s'enfuit et sort en battant des ailes entre les jambes des gens. Lamongie pince la première phalange du gros orteil du pied droit et tire comme pour arracher un clou. Il tombe en arrière avec la phalange dans sa pince. Alain hurle !... La foule rit. Chambort prend sa place, plaque un fer à cheval sous la plante du pied estropié et plante, d'un coup, une pointe qui éclate le talon. Les vingt-six os du pied d'Alain paraissent éclater aussi. La douleur lui monte jusqu'au genou, à l'aine, lui saisit le ventre, suffoque sa poitrine, crispe ses épaules, provoque une explosion dans son crâne. Chambort plante le deuxième fer à l'autre pied. La tête d'Alain darde en l'air des yeux exorbités et saute dans des attitudes étranges. Tous ses souvenirs s'abattent sur lui, vaisseau désemparé pris à l'abordage par un équipage qui crie avec des voix funèbres : « Sale bête ! »

Triste corps, combien faible et combien puni, il a des fourmis plein les talons. Ça fait un fracas de cinq cents tonnerres. Sa chair vire obscène. Son âme flue en rêves fous parmi ces gens cafards à vous dégoûter d'être au monde. En venant à la foire, son rêve était au bal, je vous demande un peu ! Il a méconnu sa destinée. C'est si bien son tour aujourd'hui que le diable en crierait grâce alors qu'Alain voit voler, bêtement en l'air, plusieurs de ses orteils quittant la tenaille de Lamongie.

À la lucarne de l'atelier, la femme de l'instituteur lui fait des grimaces, tire et roule une langue plaquée à la vitre sale quand arrive un braillard :

— Venez ! Venez, le curé paie à boire ! Comme on a fini sa piquette de messe, il monte maintenant de la cave des bouteilles bouchées, vin vieux, pineau, etc. Tout le monde est invité !

— Faut d'abord finir de tailler les onglons du Prussien, dit Lamongie.

— On reviendra ! Viens trinquer. Laissons-le souffrir. Ficelé comme il est, il n'ira pas loin. Quelques volontaires monteront la garde devant la porte pendant qu'on se rincera la dalle dans le jardin du curé qui a aussi ouvert le presbytère et même son église pour accueillir plus de monde. Venez vous saouler la gueule sur l'autel !

Ils filent tous, en horde, délaissant de Monéys qui entend le grincement d'une porte, derrière. Cinq hommes, ayant dû contourner l'atelier, entrent à pas de loup sur la terre battue et le trouvent en sang, ligoté au travail, talons ferrés et orteils du pied droit arrachés. Maintenant, c'est certain qu'on ne voudra plus de lui à l'armée, même sur le front de Lorraine... Ceux qui montaient la garde partent s'enivrer avec les autres. Mazerat et le neveu du maire en profitent :

— Vite, détachons-le. Ah, ils ont serré ça comme des sagouins.

Mazerat ouvre un couteau, taille dans les nœuds. Antony, bouleversé, redresse le buste d'Alain, et lui soulève sa tête ensanglantée. Antony le serre doucement contre son épaule, le console de ce qu'on pourrait appeler ses malheurs :

— Oh, Alain, tiens bon ! On va te tirer de là.

— C'est toi, Pierre ?...

— Oui, c'est moi. Ce sont des monstres. Ils méritent le bagne.

— Ils ne savent pas ce qu'ils font...

Bouteaudon se penche et saisit avec ses mains douces de meunier la tête d'Alain qui, merveille, a l'aspect d'un sourire. Dubois sort un mouchoir et lui éponge le front plein de sueur, de poussière, et aussi le sang coagulé sur ses yeux qu'il peut à nouveau ouvrir. De Monéys reprend difficilement son souffle. La présence affectueuse des partisans lui redonne espoir :

— Il faudrait dire à ma mère que je rentrerai plus tard que prévu...

Antony le couvre d'un long regard triste. Cet ami est simple, fidèle, et dans un cœur bien fait cela se grave. Mais l'adolescent Thibassou vient de faire irruption dans l'atelier. Il s'empare d'un grand couteau sur l'établi et ressort vite en criant vers l'église où il court :

— Venez ! Venez ! Ils ont détaché le Prussien !

Mazerat et Bouteaudon glissent leur tête sous les aisselles d'Alain en grognant : « Ah, ce petit salaud !... Où pourrait-on emmener Monsieur de Monéys ? »

— Chez Mousnier, suggère Antony. Quand il a voulu faire des travaux dans son auberge, Alain lui a prêté, sans intérêts, l'argent nécessaire, alors il l'accueillera.

Hélas, à peine sortis de l'atelier pour aller vers le centre du bourg, la foule arrive du presbytère et barre la ruelle. Ils sont en face, gueulent : « Laissez-le-nous !... »

— C'est Alain de Monéys ! leur rappelle Dubois. Il n'a jamais fait de tort à personne ! C'est le seul petit propriétaire du coin qui accepte que vous alliez, sous ses futaies, lier quelques fagots si vous êtes à court de bois pour l'hiver ! Et vous pouvez suivre un lièvre dans ses prés sans voir lâcher des chiens à vos trousses !

— Tais-toi, abruti ! gronde Léchelle en tirant Dubois par la blouse.

Madame Lachaud braille : « Qu'on lui coupe les couilles ! » Des bras jettent Alain à genoux devant la fenêtre du maire qui s'ouvre. Le fils du couvreur de Fayemarteau, à qui de Monéys voulait fournir du travail, lui lance un coup de bâton sur la tête.

— Roland ! Tu viens de frapper un ami de ton père ! s'écrie Antony.

— Mon père n'a pas d'ami prussien ! Tiens, jus-
tement le voilà. Dis-leur papa !

Le père, torché au pineau dans le confessionnal de
l'église, lève sa barre de fer. Alain le regarde, lui
dit : « Pierre Brut, c'est moi, je vous cherchais pour
la restauration d'un toit de grange... » mais le couvreur ne l'entend pas, ne le voit plus et il le cogne
de toutes ses forces. On relève de Monéys à coups
de fouet dans le dos, les jambes. Ferré et quelques
orteils amputés, il bascule, titube dans des chocs
métalliques, tandis que la foule rit :

— Regardez comme il danse, le Prussien !

Après que le neveu du maire a encore supplié son
oncle de donner asile, Bernard Mathieu, à la fenêtre,
désigne la bergerie au fond de sa ruelle :

— Mettez-le là. Il y sera aussi bien que chez moi
en attendant de pouvoir le ramener à Bretanges...

8

La bergerie

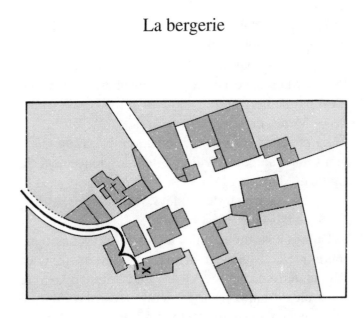

Le bûcheron Mazerat, le meunier Bouteaudon, et
le boulanger neveu du maire, fourche à la main, protègent l'entrée de la minuscule bergerie où l'on
a conduit Alain, faute de mieux. Dans ce réduit
sombre, il est couché sur la paille aux odeurs fortes
de l'urine des ovins. Seul un rai de lumière, glissant
sous la porte, éclaire l'endroit et les sabots de trois
moutons, une brebis, qui le regardent.

Il se juge mal fringant aux gestes lourds, grotesque, dans ce corps démoli aux chaleurs d'incendie. Respirer encore, c'est bien machinalement. Ô ce découragement. Il s'agite en propos stériles, répète doucement le nom de sa mère alors que dehors, toujours, on crie. C'est étonnant comme ça saoule d'être dans ce cirque bête. Haletant, il pense être enfin tiré d'affaire avec les trois devant la porte, Antony et Dubois à ses côtés.

— On va tout faire pour te sauver, le rassure Pierre. Mais avec ces fous et un maire couard, ce n'est pas facile.

— Merci, merci...

La patience de parole et d'action d'Antony mériterait une auréole. Philippe tourne doucement la figure d'Alain vers lui :

— Oh, monsieur de Monéys, les sauvages...

— Je fais peur, n'est-ce pas ?...

Dubois pose au bord des lèvres détruites une figue mûre que de Monéys mâche douloureusement mais, dehors, la foule gronde « Prussien ! Prussien ! » avec un bruit de tambourin. Mazerat et consorts ont de plus en plus de mal à défendre l'entrée. Antony et Dubois décident de les aider, sortent, referment la porte derrière eux, gueulent : « Mais vous êtes tous devenus dingues ! Est-ce qu'on a jamais vu un Prussien à Hautefaye ?!... »

— Il voulait partir à la guerre malgré sa réforme ! s'exclame la voix de Bouteaudon. Combien parmi vous qui braillent « Vive la France » en feraient autant ? Fichez-lui la paix et allez attaquer les Prussiens là où ils sont : en Lorraine ! Vous y montrerez plus de bravoure que dans la foire à cinq cents contre votre voisin !

— Faites-le taire ! chante la voix suraiguë de Mazière, et tirez le Prussien dehors !

Roumaillac et quelques compères ont escaladé le toit de la bergerie, retiré des tuiles, et pissent ! Piarrouty lui chie aussi dessus en vomissant des injures. Être la victime de ces gens, du monstre intérieur qui leur crispe la joue ! Dans le chagrin réel dont son cœur éclate, Alain souffre beaucoup, traqué, débusqué sous les déjections. Heureusement que ses rares défenseurs – phares doux parmi les brumes et les gaz – protègent l'incarnation de la figure hostile qu'il est devenu. Alain reconnaît l'accent de Bernard Mathieu, sans doute encore à sa fenêtre, criant après les dégoûtants du toit :

— Vous dégradez mon bâtiment. Descendez !

— On n'a pas fini de chier.

— Mais c'est affreux ! Il n'y a plus que des lâches, ici ! se lamente Antony.

Chambort veut mettre le feu à l'étable. Quelqu'un se glisse par le trou de la toiture et saute à pieds joints dans la paille. C'est Thibassou. Grand couteau à la main, pris sur l'établi du maréchal-ferrant, le manche passe d'une paume à l'autre. Elles ont, ses pognes, des airs spécialement revêches comme en proie à d'âpres pensées : « Je vais te saigner... » Une flaque de lumière brille sur la paille près de lui. Alain est inquiet à cause des yeux de l'adolescent où fleurit l'animal :

— Mais que t'ai-je donc fait, Thibassou ?...

Il ne répond pas sinon d'une grimace dédai-
gneuse, s'approche d'Alain – sa lame a l'éclat d'une
vitre – lorsqu'on entend derrière : « Psst !... »

Au fond de la petite bergerie, près de deux
chèvres dans le noir, Anna est là. Alain ne l'avait pas
vue. Grâce au toit crevé, elle devient un flot de
clarté, le sauve du désespoir. Elle remonte sa robe en
appelant Thibassou d'un nouveau « Psst ! »

L'adolescent ne sait plus que faire. Il oscille entre
poignarder de Monéys ou aller vers la fille qui continue de relever le vêtement gris et vert. Haut des
fesses posées contre le rebord de la mangeoire, Alain
gardera de la peau de ses mollets, genoux, un souvenir de satin et de soie. C'est la douceur elle-même, la
vertu et la paix, mais... Ô, ces cuisses découvertes
doivent avoir une odeur d'écrevisses fraîches. Puis
c'est la légère toison qui ondoie, toute de jour, toute
de joie innocemment. Pattes écartées, son con rit sur
fond de mangeoire telles les lèvres d'Arlequin ! La
pâleur du ventre, volée à la lune, met aussi l'adolescent dans tous ses états. Au pantalon, son désir croît
tel un champignon des prés. Anna ayant retiré la
robe par-dessus tête, sa poitrine appelle la chair de
garçon que cela tente d'aimer les seins légers. Thibassou y vole, il s'y lance, laisse tomber sa lame,
s'approche. Elle le touche d'une main errante... Lui
a le geste expert du pire vaurien. Beau comme un
petit loup, rusé du corps et de la bouche, il s'éprend
d'elle tout d'un coup comme un fou. Les manières
qu'il y met ! Anna tourne le regard vers de Monéys.
Elle ne le quitte plus des yeux. Sous le noir tas sau-

vage de sa chevelure qui remue, ses tétons charmants
sont des fruits vivants savourés par des lèvres ivres
de leur bonne fortune. Cuisses belles, seins redres-
sés, dos, ventre, sont une fête pour les yeux et les
mains. Et cette « Elle » mignonne prend goût à la
chose. L'autre lui boute au sang un feu bête qui la
rend toute folle, croupe, reins et flancs. Thibassou
roule son cul sous la chemise. Bas-ventre jamais las,
infatigable, il murmure des mots : « Ah, c'te salope !
Bon Dieu de bougresse ! » C'est le délire des sens
dont toute chair rabache. À voir ce gars serrer des
fesses et les fréquents pas en avant que ses pieds font
sur la paille, renversant un seau de lait, il apparaît
qu'il n'a pas peur de planter profond Anna. Gros
goûts lourds, vapeurs et nerfs, il la prend comme une
rustique beauté qu'on a dans les coins. Elle flotte et
vire en des parfums de peau à lui rendre la tête
dingue. Et ça clapote parmi les sueurs et les haleines
en ce bal ! Elle est prise d'un vertige incandescent
tout en scrutant Alain. Ses jambes, ses mains, tout
son être, pieds, cœur, tout se met à gueuler une
ritournelle :

— Raah !...

La voix d'Anna, devenue rauque, pousse des
plaintes : « Aaah ! » tandis que, derrière la porte,
l'émeute continue. Antony et Dubois, entendant les
râles dans la bergerie, prennent les gens à témoins :

— Écoutez comme il souffre ! Vous lui avez
assez fait de mal comme ça.

Mais c'est Anna qui jouit en un long cri déchiré
tout en voulant retenir l'adolescent. Elle lui chuchote

à l'oreille « Reste ! Reste là et vas-y, recommence ! »
Pour l'empêcher d'aller vers de Monéys, elle gueule
« Encore ! » à l'amant. Dehors, les agresseurs per-
çoivent ce qu'ils croient être la voix d'Alain :

— Encore ! Encore !

Encore ?... Quel malentendu !

9

La grand-rue

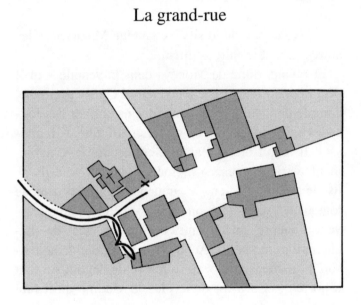

La porte s'ouvre ! Ils le tirent dans le fumier par les pieds (ferrés) :

— T'en veux encore ? Tu vas en avoir !

Les gens ne remarquent pas Thibassou qu'Anna a entraîné avec elle dans la mangeoire. De Monéys écoute ses défenseurs, sur les côtés, demander : « Mais que pourrait-on faire pour qu'ils dégagent cette ruelle juste le temps de faire partir leur victime ? » Dubois a une idée, réussit à s'approcher d'Alain, se penche :

— N'aimeriez-vous pas mieux être fusillé plutôt qu'encore battu ?

— Oh oui ! Que l'on me fusille...

Philippe Dubois se redresse :

— Vous l'entendez, vous tous ? Allez chercher des fusils ! Partez vite chercher des fusils chez vous !

— Non, pas de fusils ! chantent Mazière et les autres. Il faut le faire souffrir...

Et revoici donc de Monéys dans la venelle – quel décor connu mais triste à nouveau ! On l'y accueille, comme de juste, méchamment, sans oublier des foucades assez macabres ou de très particulières fantaisies. Il reçoit aussi d'autres « douceurs » véritablement assommantes. À... (mais combien sont-ils ?), ils le flétrissent en le traitant de lâche (quelle logique !). Après quoi, on l'invite – péremptoirement – vers d'encore pires avenirs et tous les vices de chacun émigrent sur lui. Accroché à la façade de la maison du maire, le drapeau se relève de dégoût sur tant d'horreurs. Ce n'est donc plus la victime qu'il faut plaindre.

Un homme à binocles derrière quoi les yeux percent – Sarlat, le tailleur d'habits de Nontronneau – braille aux oreilles d'Alain en déchirant sa veste de nankin jaune :

— Salaud de Prussien !...

Pierre Antony lui lance : « Mais pourquoi tu dis ça ? Tu le connais. C'est toi qui l'habilles ! Et là, tu déchires un vêtement que t'as confectionné ! »

— Je n'ai pas taillé ce costume !

— Mais foutrebleu, s'énerve Pierre, regarde, là dans la doublure, c'est bien ta griffe qui est cousue. Il y a écrit ton nom : « Sarlat » !

— Oh le fumier de Prussien ! s'exclame le tailleur, arrachant une manche. En plus, il vole nos habits !

Ils tirent tous sur sa veste et sa chemise. Poitrine nue, Alain appartient à la foule. Sans grande cordialité et pas trop doucement, ils le font aller au bout de la ruelle. En face, de Monéys voit l'église à la porte ouverte. Derrière l'autel, un christ dartreux pend. Il paraît se faire des cheveux trop longs et n'avoir été perché en ce lieu que pour regarder les brutes d'un air fâché.

L'abbé Saint-Pasteur continue de trinquer à la santé de Napoléon III pour détourner le plus possible de furieux du forfait. Mais depuis le temps que le peuple demande au ciel de faire des miracles et ne voit rien venir, il a fini par se dire qu'il allait se débrouiller. C'est une chose qui frappe. Aux oreilles d'un Mazerat affolé, Alain gémit et supplie devant Notre-Dame-de-l'Assomption devenue taverne où le vin du curé finira par manquer :

— Dites-leur que s'ils me libèrent, je paie aussi à boire, réclame qu'on mette une barrique en perce.

Un des persécuteurs, qui a entendu, crie :

— On ne boit pas le vin d'un Prussien !

— Oh, mes amis, mes amis...

— Tu parles encore ? s'étonne un autre. Tiens !

D'un grand coup de barre de fer sur la bouche, il

casse les dents d'Alain. De Monéys suffoque et crache du sang, des débris d'incisives et de canines.

Quinze heures sonnent à l'église ! Ô l'appel des cloches et faire un de ces bruits soi-même sous les coups qu'on vous porte. Il est pris par la foule qui, bras relevés, le hausse et l'entraîne en son centre. Le cortège part, montant la grand-rue du bourg. Victime pantelante à plat dos exhibée sous le rire du soleil, Alain se croit devenu une statue de procession – Vierge noire de Rocamadour ou saint Léonard du Limousin. Des paroles peu saintes s'épanchent à son crâne couronné de douleurs. Il va, au bout de leurs bras en l'air, comme au son trotte-menu du violon des noces mais il sent bien qu'en lui quelque chose est fini dans ce jour d'orgie.

Tête renversée, il découvre, à l'envers, ses défenseurs impuissants qu'il pense ne plus jamais revoir. Et en route dans l'entonnoir tragique ! Tout cela est pitoyable. Il n'y a plus guère que le diable pour profiter d'un jeu si laid. Ayez pitié d'eux. Ils le jettent au sol. Alain découvre à leurs mains des fouets, des fléaux, des crochets. Les coups de bâton pleuvent.

— Assommez-le ! Assommez-le !

On joue du coude pour l'atteindre. C'est à celui qui lui lancera le coup le plus fourbe. Thibaud Devras, marchand de cochons à Lussac et bâton levé en l'air, guette l'instant où Alain va découvrir son crâne. C'est de Monéys qui a payé la pierre tombale de sa fille. Il tente de le lui rappeler lorsque l'autre le frappe d'un gourdin en plein visage.

Chacun se bouscule pour le taper, imprimer sa

marque sur son corps ennemi. Celui qui vient de frapper se retire, laisse sa place à un autre qui, coup donné, s'efface pour être aussitôt remplacé. Cette gestion instinctive et collective du massacre dilue la responsabilité. Pour les adolescents venus à la foire, ce carnage offre l'heureuse opportunité de prouver leur virilité et de s'intégrer parmi les hommes. À quatorze ans, Thibassou (tiens, le revoilà) sillonne Hautefaye en montrant un bâton taché de sang. Il revendique sa férocité. Avec le fils de Pierre Brut, ils demandent ensemble à un garçon de leur âge : « Et toi, t'as frappé ? Non ? Tu es un capon ! » Même les plus jeunes s'y mettent. Une mère conseille à son enfant de cinq ans :

— Toi aussi, Pouléoun, fais-lui payer tes gros chagrins !

Le gamin donne une claque. Lorsqu'il retire sa main, celle-ci est pleine de fleurs de sang. Le vieux Moureau fait tirer la tête d'Alain à coups de pierre : « Un sou, les trois coups ! Celui qui le tue emporte le Prussien. » Il distribue les cailloux, métamorphose en spectacle amusant le massacre. On lui marche dessus, du pied gauche, comme si ça allait porter bonheur... Ils le foulent tel du blé : « On n'en a pas beaucoup battu, du blé, à cause de toi, ordure ! Lébérou ! »

— Lébérou ! Lébérou !... crie aussi sec tout le monde autour d'Alain en croisant les index comme face aux vampires.

Ils le confondent maintenant avec ce monstre légendaire du Périgord condamné par maléfice à errer, la nuit, dans les campagnes. Corps enveloppé d'une fourrure, on raconte que le lébérou se jette sur le dos des promeneurs attardés, se fait porter, mange les chiens, met enceintes les filles et reprend au matin la figure d'un aimable voisin.

— C'est à cause de toi, Prussien, qu'on a retrouvé l'agriculteur du lac Rouge, mort au fond de son puits, une patte de chien dans la bouche !

— C'est à cause de toi, Prussien, que mon frère s'est pendu avec le licol de sa dernière vache en revenant de l'enterrer !

— C'est à cause de toi, Prussien, que cet hiver, je ne sais pas où nous irons chercher le fourrage, qu'il n'y a ni maïs, haricots, noix ou raves ! Carogne ! Tiens, prends ça dans ta gueule !

C'est à cause de toi ! C'est à cause de toi ! Il est devenu responsable de tout. Le manque d'eau, c'est lui ! Le désastre contre la Prusse, c'est lui ! Son cœur, ses os, son sang, ses pieds et ses paupières forment une bouillie avec ses chairs entières. Ils broient tout de lui, tout. Et la terre de la grand-rue, depuis longtemps aride, s'abreuve, joyeuse, de son sang. Bousculé, roulé par des sabots, il va l'âme égarée, hoquetant, dilatant sa prunelle perdue. Murguet promène une fourche sur le ventre d'Alain tel un laboureur brisant des mottes. N'en jetez plus, la cour est pleine !

Au centre du bourg, l'intersection de deux voies forme une croix. Sur la gauche, à l'angle de la route qui mène à Nontron, s'étire la longue auberge de l'épicier-buraliste Élie Mondout. Sa façade de briques roses est peinte d'un texte qui dit :

Chas Mondout,
lu po ei boun,
lu vei ei dou,
la gent benaisé.

(Chez Mondout,
le pain est bon,
le vin est doux,
les gens heureux.)

Les clients, attablés en terrasse devant leur gamelle d'étain et fourchette de fer, regardent ce de Monéys devenu pâtée pour engraisser les porcs et les volailles.

— Salaud de Prussien, voilà encore pour mon fils que tu as envoyé à Reichshoffen !

Piarrouty, qui lui a une nouvelle fois fracassé la tête de son crochet à balance, file vers l'auberge en s'écriant : « J'ai vu sa cervelle ! » Il prend de l'eau à la tonne pour laver l'ustensile devant un Élie Mondout sorti de sa cuisine et sidéré. Sans doute parce qu'il était trop occupé à courir partout, à préparer les soupes aux couennes, à couper le pain et le jambon, à faire griller les châtaignes (de l'an dernier), à monter de sa cave des bonbonnes de vin, l'aubergiste ne savait pas ce qui se passait sur la place publique dans le remuement coloré des habits et des blouses.

Ce qu'il voit le stupéfie. Il découvre sa clientèle, confortablement attablée, suivre l'événement dans l'auberge qui regorge de monde. À tour de rôle, chacun se lève pour participer au carnage. Roland Liquoine y va de son sabot dans la poitrine d'Alain et la brûlure est alors là aussi qui tonne. Un meunier avec un fléau dit qu'il bat l'orge. Ce qu'il le fait souffrir cet animal avec ses féroces minutes. Murguet vise l'entrejambe en criant : « Vipère ! Vipère ! » et rien n'est égal à sa rogne. Il jette des cris d'une dimension énorme puis s'assied. Un autre insulte la face d'Alain de Monéys, l'affole, alors le sang ruisselle. Le notaire de Marthon le frappe aussi (lui qui avait rendez-vous en face pour régler certaines affaires du domaine de Bretanges). Serviette de chagrin à la main, cravate de soie blanche, de Monéys prend le bout de ses chevreaux noirs vernis dans les dents (cassées). Lamongie quitte sa table pour lui planter toute une fourchette dans l'œil droit qu'il crève, retourne s'asseoir et commande un pichet à l'aubergiste blême et ulcéré :

— Foutez le camp ! Foutez tous le camp de chez moi, bande de cons ! Foutez le camp ou je vous chasse à coups de fusil !

Mondout va pour chercher son arme mais sa femme l'arrête : « N'y va pas Élie. Ils sont six cents et tu n'empêcheras rien ! »

— Mais on ne peut pas le laisser tuer comme ça ! Où est Anna ?

10

L'auberge Mousnier

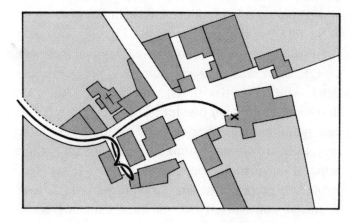

La foule immense et fébrile, craignant le trom-
blon du buraliste, pousse vers la droite de la place
du village. Antony, Mazerat et Dubois se précipitent sur de Monéys. Parce qu'ils ont dû contourner
une partie du bourg, ils le retrouvent au moment
où il roule à coups de pied devant chez Mousnier.
Ses amis, rejoints par le neveu du maire et Bouteaudon, le relèvent et veulent le faire entrer
dans l'auberge mais sa porte se referme brutale-

ment en lui écrasant une main. Trois doigts tombent. Aïe.

Par l'entrebâillement, Alain voit (d'un œil) l'intérieur de l'établissement restauré – une salle au plafond de poutres claires. Il perçoit le tic-tac d'une pendule dorée posée sur la cheminée. Le balancier luit par brefs instants derrière le verre. Les murs sont tapissés d'un charmant papier à petites fleurs. Le crucifié du Golgotha – collègue d'Alain – pend au mur. Face à de Monéys, une psyché où il se contemple pour la première fois de la journée.

Sa tête est devenue un globe de sang où, dans l'œil gauche, rit la mort songeuse. Des avalanches au visage, des cratères mieux que fous, pis que hasardeux. Mutilation des traits, énucléation... Ah, c'est du propre et du beau que lui ! Torse nu contrefait en carnage, il palpite entier en sa forme totale. Au reflet du miroir, il voit aussi venir dans son dos un homme armé d'un manche de cognée levée. C'est Jean Brouillet, propriétaire aux Graugilles. Enfant, avec Alain, il construisait des cabanes dans les arbres mais là, tête sournoise couverte d'un chapeau de paille, Brouillet semble un peu pressé d'avoir affaire à de Monéys, si nullement répréhensible pourtant. Enfin !... Alain se tourne et traîne son œil valide sur cette brute qui ne peut plus le reconnaître :

— A-ez, bats-moi, bats-moi toi au-i ! A-ez ! A-ez !...

Mâchoire fracturée en divers endroits, il ne parvient à articuler. Il attend avec fatalité quelque nouveau choc qui le tuera peut-être quand Bouteaudon

s'interpose héroïquement sous le manche de cognée :
« Arrête, Brouillet ! Laisse-le ! » Ce défenseur est
d'autant plus solidaire que lui-même, comme souvent
les meuniers, ne se sent pas totalement intégré au
village. Mazerat et Dubois viennent à son secours,
poussent Buisson, font reculer les frères Campot
alors qu'Antony supplie Mousnier de laisser entrer
Alain. Mais le tavernier – coiffé d'un feutre noir à
large bord, menton fuyant – dans l'entrebâillement
de la porte qu'il bloque, s'y oppose :

— Vous n'y pensez pas ! Un Prussien chez moi ?!

— Ce n'est pas un Prussien, c'est Monsieur de
Monéys ! s'énerve Pierre.

— Ah bon ? Je ne le reconnais pas, répond Mousnier en dévisageant Alain. Si ça se trouve, c'est un
Prussien. Je ne vais pas faire détruire mon établissement rénové pour défendre un Prussien, tout de
même !

— Ce garçon vous a prêté de l'argent, sans intérêts, pour les travaux...

— Je n'ai jamais emprunté d'argent à un
Prussien !

De Monéys tente d'intervenir :

— Ach ! 'Ousnier, 'est 'oi... A-ain !

— Je ne reconnais pas non plus cette voix,
affirme le tavernier à Antony. Il a un drôle d'accent,
celui-là. Je ne comprends rien à ce qu'il dit. C'est de
l'allemand ?

Et Mousnier lui claque sa porte dans le nez, le
rejette pour le régal de l'habitant goulu. Quelqu'un
vient de lancer un caillou qui frappe le mur à droite

de sa tête prise à deux mains et renfoncée dans les épaules. Un maçon volubile et danseur, le boute-en-train de la foire, le reluque sournoisement et sourit. N'a-t-il pas, en fouillant les recoins de son âme, un beau vice à tirer comme un sabre au soleil ? Il se marre :

— Le rapport que ce gars veut envoyer au gouvernement n'est pas pour détourner l'eau de la Nizonne ! En fait, il réclame l'interdiction, à tous ceux qui ne portent pas l'habit comme lui, de conserver des cornes à leurs bœufs !

— Quoi ? ! Et pourquoi ça ?

Ce bruit le plus absurde – à s'en jeter par les fenêtres – se répand maintenant partout avec avidité dans Hautefaye.

— Mais pour qui il se prend, celui-là ? Faut finir de le déloquer alors lui aussi devra écorner ses vaches ! À poil ! À poil, le Prussien !...

On se jette à ses jambes, lui arrache le pantalon. Il se retrouve totalement nu et encore frappé ! C'est la surenchère. Le feuillardier de Fontroubade promet :

— À tous ceux qui l'auront battu, l'empereur saura, le moment venu, distribuer ses récompenses ! Il donnera une paye !

— Ah bon ?

Un enfant vise le nez avec un lance-pierres. Antony crie :

— Mais enfin, s'il se trouvait ici seulement cinquante hommes décidés, nous pourrions arrêter cette horreur ! Qui nous suit ?...

L'appel reste sans écho. « L'empereur nous don-

nera de l'argent pour avoir fait son travail ! », voilà
ce que tout le monde préfère répéter. Alain est pris et
repris à coups de poing. On le tape aussi avec les
sabots en veillant à ce qu'ils portent fort dans les
reins, le ventre, le visage. L'instituteur de Hautefaye,
favoris dits « Cambronne » et une main dans la
poche de son pantalon de coutil blanc, donne un
coup de pied dans la tête comme s'il s'agissait d'un
ballon. Tout le bas de sa jambe se trouve inondé
d'hémoglobine. Lachaud, vous n'êtes pas raisonnable
non plus et vous voici parmi le nombre indéfini des
criminels... Par instant, de Monéys est le pauvre
navire qui va, démâté, parmi la tempête. À d'autres
moments, il roule telles les vagues sous les semelles.
Le couvreur de La Chapelle-Saint-Robert gueule
d'une voix de vigie comme découvrant une île :

— Là-bas, la halle aux grains ! Cette année, il n'y
a pas de grains. Allons l'écarteler là-bas !

Alors l'âme d'Alain, pour un affreux naufrage,
s'apprête à appareiller.

11

La halle

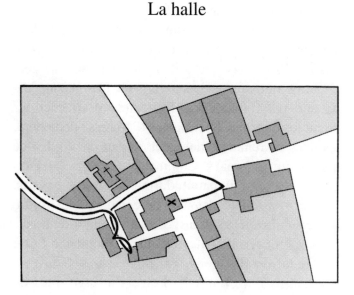

Il est en lévitation comme une étoile de mer. Couché sur le dos à un mètre du sol, jambes et bras écartés, il flotte en l'air. Les frères Campot, Chambort et Mazière ont noué des cordes à ses poignets, chevilles (devenues énormes), et ils tirent vers les quatre points cardinaux. Les cordages tractés soulèvent Alain.

— Oh, hisse !

S'aidant de la voix, leurs liens tendus à l'horizontale le décollent du sol. Lorsque ses écarteleurs reviennent en arrière, son dos – cette plaie – retourne au contact des dalles de la halle. Puis, quand ayant pris leur élan, ils repartent, de Monéys remonte un peu vers les poutres de la charpente du toit couvert de tuiles.

— Oh hisse, la saucisse !...

Les bourreaux s'esclaffent, rient, dérapent dans son sang, puis s'élancent encore. Et, nom de Dieu, Alain adorerait ce jeu s'il ne le tuait pas un peu. D'autres hommes arrivent. Ils sont maintenant une dizaine par lien à tirer. Ils tentent d'arracher les membres du tronc. Les épaules d'Alain se démettent, les têtes de fémur se délogent de leur cavité. Est-ce que ça lui fait mal ? Comment vous dire ?... Paupières écartées, il paraît dormir les yeux ouverts. L'espace se dilate dans ce dérèglement de l'ordre universel. Le ciel est transi d'éclairer tant d'ombres.

— Ce que vous faites est une abomination ! crie au loin la voix d'Antony.

— Vous n'avez pas le droit ! s'insurge, près de lui, Mazerat.

— Aujourd'hui, il n'y a plus de lois ! leur répondent les gens.

— Cochons, cochons ! pleure l'accent de Dubois. Et toi, où cours-tu ?

— Baigner mes mains dans son sang.

De Monéys va de tribord à bâbord selon ceux qui tirent le plus fort. Lorsqu'ils sont à l'unisson et arrivés au bout de leur course, son corps soulevé claque tel un drap. Tout son sang gicle haut comme sorti d'un crible. Il voit une myriade de gouttelettes s'élever dans les airs. On dirait une constellation. Mêlée aux piqûres de soleil infiltré entre les tuiles, c'est beau. Le sang retombe en pluie pendant qu'il redescend vers les dalles. Quand il remonte et que toutes ses articulations éclatent, c'est à nouveau la Voie lactée.

La foule spectatrice aux chapeaux de paille, blouses, sabots, rubans colorés, entoure la halle sur trois côtés. Se donnant le bras, coudes au creux des coudes, les gens balancent, chavirent en hurlant des couplets – le dur flux aussi de leurs mots atroces.

Ils tirent, les hommes-chevaux, comme au supplice de celui qui a voulu tuer Louis XV. Quel était son nom ? Alain ne s'en souvient plus. Sa mémoire devient déplorable. Ils tirent – tudieu, quelle haleine ! Leur colère est injuste et folle (au fond, la colère est injuste et folle). Alain s'élève dans les airs, emportant ses soucis moroses. Ne toujours pas songer au plongeon suprême.

Flot de liquides tel un golfe, le bon sang, qui soudain quitte ses artères, coule par litres. C'est comme les eaux d'un torrent. Jean Campot, au pied droit d'Alain, glisse dans l'hémoglobine et tombe, entraînant tous ceux de sa corde. En face, ils se retrouvent donc déséquilibrés, basculent en arrière, cul par-dessus tête. Les autres, à gauche et à droite, saouls et pliés de rire, laissent filer le chanvre entre leurs doigts.

Sans plus personne au bout des liens, de Monéys se relève d'un coup et court, sanglant, tirant des pas saignants.

12

La charrette du marchand de laine Donzeau

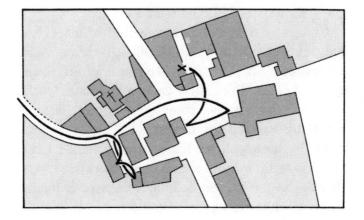

Il s'enfuit !... Autour de la halle, on l'avait cru mort et pour de bon cette fois quand, soudain, il s'est relevé. La foule stupéfaite, le prenant alors pour un revenant, animal légendaire – lébérou certainement –, s'ouvre, s'écarte, apeurée, et lui dégage un boulevard. Incroyable regain d'énergie, comme ces canards à la tête tranchée, il court ! Et c'est vrai que cela tient du miracle.

Sous le soleil qui fait rage et dans des chocs de

fers sur les caillasses, son ombre longue, projetée au sol, trace une curieuse silhouette galopante. Les bras écartés forment des angles bizarres avec les épaules presque au milieu du tronc. L'attache des jambes aussi est originale. Quant au mouvement des genoux tournoyant, traçant des « huit », on n'a jamais vu ça même au cirque ! Et le tout s'affole tout droit. Un râle hurle dans sa poitrine avec des sursauts fous tel l'ouragan qui passe à travers une ruine. Chambort gueule :

— Rattrapez-le ! Le Prussien s'échappe !

Chimère agitée descendue du toit d'une église, croyant aller tout droit sur la route de Nontron, Alain se trompe. Il pénètre dans une impasse où le marchand de laine Donzeau a garé sa charrette. Quelle méprise ! Surtout que, comme une armée, la foule rapplique dans son dos, fumante...

Et ils l'insultent, les limiers sur sa trace ! Leurs vils cris le diffament. Langues d'aspics et de vipères, ils clament fort un mal de lui qui l'exaspère. Inouïe, l'horreur de cette humanité toute honte et crapule. Marre d'être dans ce Waterloo ! Marre de cette société dont il est le jeu de massacre et le but ! Il n'en peut plus de ses détracteurs. Laissez-le ! Laissez-le !

— 'Ai-ez 'oi ! 'Ai-ez 'oi !

Il s'élance (mais comment est-ce possible ?), s'empare d'un pieu pointu sur la charrette du marchand de laine puis il se retourne, fait face à ses poursuivants. Nu, couvert de sang, de merde et de plaies, amputé, à demi aveugle, il défie seul la horde déchaînée. Descendant de chevaliers périgourdins, il vit et prétend vivre et cela très longtemps – voyez les vœux de sa tête en larmes et en feu ! Ses membres rament dans l'air telles des ailes. Il trébuche. Ses pensées volettent comme des chauves-souris. Étienne Campot vient, prend aisément le pieu, le lève et lui en assène un grand coup. Alain tombe à la renverse, les deux fers en l'air, entre les brancards de la charrette de Donzeau et son corps roule jusque sous le char à bancs de Mercier...

13

Le char à bancs de Mercier

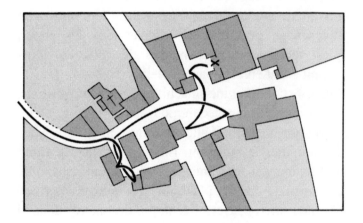

Les coups de sabot claquent dans les planches. Il pleut, il pleut bergère... Couché à même la terre et en boule sanguinolente sous le char à bancs, Alain voit tous ces pieds qui tentent de l'atteindre.

Entre les quatre roues du gros véhicule hippomobile garé contre un mur, il est à l'abri. Les pieds ne parviennent pas jusqu'à lui. En quart de cercles ascendants, ils frappent dans les roues, les suspensions, et sous le plancher du char qui sert à conduire des familles les jours de deuil, de noces, ou pour aller jusqu'au marché de Périgueux.

Et ils tapent aussi, de bas en haut, les gros souliers ! Leurs clous, fers arrondis au bout des semelles, heurtant les armatures métalliques, crachent des étincelles. Les talons s'écrabouillent contre les bois pourris qui se déchirent en escarbilles. Ça frappe de partout, le plancher crève. Entre les lattes disjointes, Alain découvre maintenant le dessous des bancs et les minces colonnes dressées aux quatre angles du char. Les rideaux qu'on y avait attachés se dénouent, s'envolent sous les chocs. C'est fantastique ! Les nuages de poussière tournoyante sont éblouis par le soleil.

C'est comme une machine à moteur. Pistons, explosions, le char décoré pour les parades se métamorphose en automobile. Il remue tout seul. Mais des hommes le poussent. Buisson et Mazière tirent de Monéys par les jambes. Sa tête traîne et ballotte. Le revoilà sur la place de Hautefaye. Bernard Mathieu arrive avec l'écharpe de maire dont il secoue les franges, les pompons, et s'en prend après le vieil agriculteur du Grand-Gillou qui jette des cailloux sur Alain :

— Dis-donc, Moureau, tu ne crois pas qu'il a eu son compte ? !

— Écoutez, monsieur le maire, c'est un Prussiens. Il faut le faire souffrir !

La réponse du vieil agriculteur est accueillie par des vivats : « Prussien ! Coquin ! Coquin ! » Et ces gens autour d'Alain rient, se vantent, jouent au plus ignoble pour épater le voisin, faire voir combien ils sont pour Napoléon III et ne s'en laissent pas conter par un Prussien sauf que... de Monéys n'est pas prussien. Mais il ne les dément plus. Las des choses tentées, fatigué d'appels superflus, usé d'avoir splendi sur tant d'ombres, il les laisse le traîner sans opposer la moindre résistance. Certains de ses bourreaux sont fatigués aussi. On en voit déambuler, hagards, avec leur bâton sanglant à la main : « Deux heures passées à cogner sur un type, ça crève. » Ils vont boire un coup. Le très cordial bonjour d'Alain à eux, non pas au revoir tout de même... Il n'en peut plus mais ses rares amis n'abandonnent toujours pas. Alors que des mains calamiteuses lui envoient encore le malheur dans les circonstances les plus navrantes, Pierre Antony engueule Bernard Mathieu – roi fainéant présidant un supplice :

— Mais monsieur le maire, plutôt que de faire l'important en remuant vos pompons, aidez-nous à le sauver ! C'est une abomination ce qui se passe dans votre bourg !

— De quoi vous mêlez-vous, vous ?

— Je me mêle qu'on massacre quelqu'un et que vous ne faites rien !

Le premier magistrat de la commune s'avance d'un pas vers de Monéys et s'adresse à ceux qui le tirent par les chevilles :

— Ôtez cet homme de là. Il gêne la circulation. Emmenez-le plus loin.

Antony, effondré, soupire. Buisson et Mazière demandent à Bernard Mathieu :

— Pour en faire quoi, plus loin ?...

— Ce que vous voudrez ! répond le maire totalement dépassé par les événements. Mangez-le si vous voulez.

14

La brouette

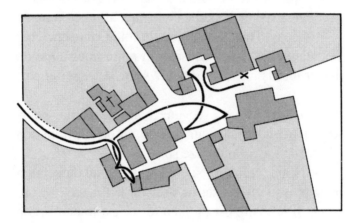

Ah, quand on pense qu'au conseil de révision de
Monéys fut jugé de faible constitution... eh bien,
dites-donc ! Alain ne sait pas pourquoi il est encore
en vie mais comme son cœur bat ! Ils tournent à
main droite, ceux qui le tractent, vers quel destin ?

— Il faut le brûler ! Il faut le rôtir !

— Il faut le brûler parce que sinon c'est la Prusse
qui viendra nous mettre le feu !

Les paysans conjurent le spectre de l'incendie.

— Après l'avoir ferré comme un bœuf, on va le griller comme un cochon !

— Mais avant de le cramer, on devrait l'éjarrer ! propose une voix de gorgone déjà entendue.

La foule a réfléchi. Beaucoup s'empressent d'aller chercher du bois – branches, planches, débris de meubles – qu'ils lui jettent sur le ventre non sans inutile brutalité. Il est devenu une brouette dont ses jambes sont les brancards et sa tête, la roue.

— Amenez le Prussien, là-haut, près des fagots !

Il faut aussi de la paille et de quoi allumer le feu.

— Tiens, Thibassou, voilà un sou. Cours chercher des allumettes chez Mousnier et porte-nous aussi du papier journal. *L'Écho de la Dordogne*, ce serait parfait !

Chambort arrive avec une botte de paille, poursuivi par un paysan qui gueule qu'on lui vole son fourrage : « Ça vaut treize sous ! »

— N'aie crainte. Napoléon III remboursera ta botte puisqu'elle va servir à sauver la France !

— Si le maire est un pleutre, où est le curé ? crie au loin, la voix de Mazerat.

— Ivre mort dans l'église à force d'avoir trinqué pour tenter d'éviter ce désastre, il ronfle au pied du Christ, répond le timbre de Bouteaudon.

Mazière, Buisson traînent de Monéys par les jambes. Sa tête qui rebondit laisse sur le sol une longue trace de cervelle et de sang. Il boit la sueur du monde dans ce carnaval tragique. Après avoir dégradé son corps, ils vont l'incendier. Alain de Monéys va au théâtre de l'enfer. Il n'est plus qu'un mannequin de chiffon dont la crémation marquera la fin de la fête.

Il est conduit hors du village comme par un déluge, comme en triomphe, à travers le pétillement de leurs injures. Les rives des sombres bords se serrent autour de lui, sonores de cris de mort ! Ô le souvenir des frais instants de paix profonde de sa vie plutôt confortable d'avant. Mais, devenu ange hors d'usage, il poursuit, tiré par les chevilles, sa montée vers le foirail. Le meurtre que la foule s'apprête à commettre est un cri d'amour adressé à la France. Les gens jettent des rameaux secs de châtaignier sur la poitrine d'Alain, dans ce qui est pour eux une brouette humaine. Pendant ce temps, chacun gueule « Vive l'empereur ! ». De Monéys subit leurs chocs sans plus trop d'émoi. Chemin faisant, ils le traînent vers ce qui paraît un lieu pour accumuler les détritus et les voilà au lac asséché où s'allume tous les ans le feu de la Saint-Jean.

15

Le lac asséché

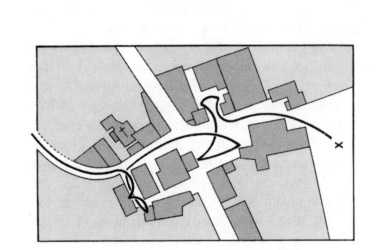

Mazière, Buisson, et Campot jeune venu les aider, lâchent le corps d'Alain au creux du lac asséché – en fait le lit d'une mare que les 40° à l'ombre depuis des mois ont évaporée. À plat dos sur la glaise aride et fissurée comme un paysage de désert, tête légèrement tournée, il respire encore un peu.

— Hourra ! Il n'est pas mort ! Il n'est pas mort ! On va le cramer vif !

De Monéys qui rêvait (c'est trop excessif aussi) je

ne sais quelle mort délicate et légère, entend la voix de son ami d'enfance Chambort (lui qu'il a connu si bon, comment a-t-il pu devenir si affreux ?) organiser l'érection du bûcher :

— Apportez d'autres fagots, des sarments, ces roues de charrettes et arrachez les poteaux de la clôture !

Quant au maréchal-ferrant de Pouvrières, il sème de la paille sur la poitrine de son ancien camarade de jeux. Alain remue encore le pied gauche. Il veut partir. Des branches de châtaigniers, des planches s'entassent sur son corps balancé en cet angle du foirail aux bestiaux. Il doit aller acheter une génisse pour la Bertille. Il écarte avec les doigts le bois qu'on jette sur son corps mais Chambort lui grimpe dessus :

— Fouler le bûcher pour réussir un bon feu !

Debout sur les sarments, le maréchal-ferrant tasse le bois avec ses talons et se dandine dans des attitudes équivoques. Du haut de cette estrade de fortune, il piétine Alain en ce dur moment et crie :

— Vive l'empereur ! Vive l'impératrice et vive le petit prince impérial !...

Des éleveurs, maquignons, restés tout l'après-midi en cette extrémité de la foire et donc finalement assez peu au courant de ce qui s'était passé précédemment, sont pris de stupeur devant le grand bûcher dressé sur le corps d'un de leurs semblables. Certains fuient aussitôt le foirail en piquant les jarrets du bétail :

— Ils ont attrapé un Prussien et vont l'incendier ! La guerre est à Hautefaye !

Une fermière, perdant sa coiffe, dévale la plaine en pente et cingle les cuisses de sa génisse au galop :

— Il faut aller à Nontron alerter les gendarmes !

Quelques clients, ayant saisi plus clairement la situation, se montrent atterrés par l'aveuglement de la foule et se prennent la tête à deux mains. Beaucoup, hypnotisés, regardent la suite. Chambort descend du bûcher. Front vide et mains rougies, il décide :

— Comme pour la Saint-Jean, ce sera au plus jeune d'allumer le brasier ! Approchez, les enfants ! Hé, toi, là, comment tu t'appelles ?

— Pierre Delage, dit « Pouléoun », répond un petit garçon de cinq ans aux pieds nus abîmés et accroché à la jupe râpée de sa mère.

— C'est son père, explique celle-ci, qui, de retour de Crimée contre les Russes, l'a rebaptisé du nom de l'Envoyé de la Providence !

— Très bien et où est-il ce héros de mari ?

— Mort à la bataille de Forbach.

— Ah bon ? grimace Chambort. Alors Napoléon, viens mettre le feu au Prussien. L'empereur t'enverra une médaille et des souliers.

— Des souliers ?... Va, dit la mère indigente à l'enfant.

Les voix de Dubois et Georges Mathieu crient :

— N'y va pas Pierre !

Antony et Bouteaudon poursuivent :

— Sinon les gendarmes te mettront en prison !

— Ne le fais pas ! hurle Mazerat.

Les paysans se retournent et courent après les

défenseurs contraints à la fuite. L'enfant hésite mais Jean Campot frotte une allumette sur une pierre et la tend au petit :

— Allez, allez, Napoléon, allume le cochon...

L'enfant s'agenouille pour faire prendre le papier mais maintenir la flamme lui est difficile. L'allumette s'éteint trop vite, il faut recommencer. Alain sent le fagot. Une troisième allumette craque près d'une de ses oreilles et *L'Écho de la Dordogne* s'enflamme, la paille et les sarments également. Il tressaute sous les branches de résineux aux vapeurs d'essence. Toutes les bûches s'embrasent. On croit le voir remuer encore une fois derrière les hauts rideaux de feu qui s'élèvent...

À travers des couleurs jaune et orange qui ondulent dans un bourdonnement régulier de ruche, de Monéys observe la foule floue danser, lancer chapeaux et bâtons en l'air. Le maire, pris dans la fumée, secoue son écharpe en toussant : « Vive l'empweur ! » Ils virent et dansent en rond ceux qui tuent l'humanité comme on fauche de l'herbe. Encore vivant, de Monéys respire fortement avec le bruit d'un soufflet (c'est bien le moment !). Ses cheveux flambent, son ventre s'allume. Il perd à tout moment haleine. Une femme braille beaucoup à tort et à travers. C'est l'épouse de l'instituteur, lèvres rouges tout mensonge et crocs blancs de souris. Non loin d'elle, Anna – fille à qui Alain aurait aimé tenir la main en regardant leur enfant courir dans les vignes – le contemple, pleure, et articule une courte phrase qu'il n'entend pas. On dirait qu'elle lui a juré

quelque chose. Le regard d'Anna enflamme maintenant réellement le cœur d'Alain sortant de sa poitrine qui se déchire. Il écarquille un œil de folie et de
rêve !

Des cendres de lui montent vers le ciel tout bleu,
le ciel chanteur qui le réclame. Il quitte donc ces
délices-là, ce désagrément qui n'eût pu tourner pire.
Les cendres de son corps s'élèvent enfin en paix au-
dessus du monde imbécile et des abîmes sourds de
ces gens coupables d'un crime qui les a dépassés.
Mais, ô que cette chair cuit maintenant dans son jus !
C'est un triste dénouement. Plusieurs demandent :
« C'était qui ? » Ils ont massacré un homme tout
l'après-midi sans même s'inquiéter de qui il était.

— Nous faisons griller un fameux cochon !

Devenu surtout poulet à la broche, la peau des
cuisses, épaules, grésille, boursoufle, s'enfle de
cloques emplies de graisse bouillante. Celles-ci
crèvent et coulent, brillantes, on pourrait dire appé-
tissantes.

— Dommage de laisser perdre cette graisse !
regrette seulement Besse. Si quelqu'un veut y goû-
ter...

Une mère sort un pain de six livres de son panier.
Elle en coupe des tranches. Avec une spatule, elle
recueille le gras coulant vers les coudes grillés et
l'étale sur des tartines qu'elle offre aux enfants :

— Mangez ! Mangez, les petits. Ces temps-ci, ce
n'est pas tous les jours qu'on peut mettre quelque
chose sur votre pain... Soufflez dessus. C'est chaud.

D'autres tartines imbibées de graisse humaine

fumante tournent autour du bûcher et d'honnêtes
gens s'en nourrissent.

— Ça a quel goût ?

— On dirait du veau.

Alors beaucoup arrivent vers la dépouille pour un
festin à belles dents. Ils donnent leur avis, en gastro-
nomes :

— Ce serait meilleur, arrosé d'un petit coup de
blanc de Pontignac.

Jamais Alain n'aurait cru qu'on dirait cela de sa
chair d'adjoint au maire à Beaussac ! Ses cendres
s'élèvent haut, tourbillonnent dans les airs à la verticale de la foule qui se régale comme aux grands
soirs de liesse. Ils dévorent les tartines cannibales.
Anna regarde Thibassou en déguster entre deux
gorgées de noah. Manger ce corps, c'est purifier la
communauté. Des rots accompagnent les dents
mâchant et c'est plaisir que de les entendre. La
graisse bouillante provoque des cloques à quelques
lèvres trop pressées :

— Aïe.

— Il t'a brûlé ! Il continue à faire du mal.

Une lourde fumée âcre rôde autour du lac asséché
et monte. Les familles dansent. Les enfants braillent.
Les célibataires se saoulent en contemplant le corps
calciné que le feu transforme. Comme les nuages
dans le ciel ou les bûches dans la cheminée, la
dépouille se métamorphose selon l'angle de vue de
chacun.

— Regarde, on dirait un marcassin. Qu'est-ce que
tu vois, toi ?

— Un oiseau.

— Les deux braises côte à côte qui scintillent, on dirait les yeux de Belzébuth. Sa langue jaune remue.

Ils voient tous ressurgir des terreurs personnelles enfouies. Ils sont là, à rêver comme des enfants.

— Un cerf !

Ce n'est plus un homme. Madame Lachaud donne un coup de tranchant de pelle entre les jambes de ces restes carbonisés. L'intérieur qui s'ouvre sous le ventre est éblouissant. Pince à feu à la pogne, elle triture près d'un mari instituteur qui s'en inquiète :

— Qu'est-ce que tu cherches ?

— Ses petits rognons. Ah, les voilà ! Les voilà, les bonbons du baptême !

Son époux fier la trouve amusante en diable quand elle fait sauter les nudités grillées dans ses paumes pour qu'elles refroidissent.

— Tu ne vas quand même pas...

Contrariante comme on l'est peu, nom de Dieu, elle n'en fait qu'à sa tête et les mâche en dévisageant Anna. Elle mord bien quand elle mord ; c'est la chienne enragée au corsage tout ouvert sur ses lourds seins ruisselant de sueur à l'air. D'entre les mâchoires de la tête de mort de sa victime incendiée, sortent et éclatent de grosses bulles bruyantes qui l'étonnent :

— Qu'est-ce qu'il baragouine encore, le Prussien ?

Son mari traduit :

— Il dit : « Je te baiserais bien mais j'ai la queue qui me brûle ! »

Tout le monde autour se tord de fou rire. C'est long à brûler, un homme. Le soleil couchant, à l'horizon, s'effondre et pleure du sang. C'est fatal et tout le reste. Et les cendres éparpillées de cet être calciné, là et puis là et aussi là-bas, vont au vent qui les envole. Elles se glissent également sous les semelles de ceux qui s'éloignent, essuyant leur bouche luisante d'un revers de manche et satisfaits :

— Trop de Prussiens en Lorraine pour qu'on ai pu en supporter dans le bourg ! En voilà un qui brûle. Je crois que nous avons montré l'exemple.

Un autre, à côté, déclare :

— Je me fais gloire d'avoir lancé quatre coups de bâton dans les dents, et qui portaient bien, à ce de Monéys.

— À qui ?

— Au Prussien.

— Ah oui, moi aussi, je ne l'ai pas loupé, le Prussien.

À ceux qu'ils croisent, ils révèlent :

— Vous vous êtes privé d'un fameux rôti ! Il avait du gras comme trois truies, le Prussien. Il nous aurait bien fait la semaine !

Face à l'homme-ratier, au bord de la gerbe en les entendant donner des détails culinaires, les cannibales s'esclaffent :

— Oh, fais pas ton sucré, toi ! Tu manges bien du rat et du vieux en plus !

— Mais... c'était Monsieur de Monéys.

— Hein ?...

Le souffle de leurs haleines graisseuses, sur une

épaule saupoudrée, projette un résidu de la combustion du fils de Magdeleine-Louise et Amédée de Monéys qui monte dans le ciel et file au sud. Ce soir, la lune jette un regard délétère. Des bagarres de feuilles en déroute tournoient sur le chemin qui mène à Bretanges. Un jeune homme, lanterne au poing, court vers la demeure encore loin. Une faible mère inquiète y est à la fenêtre ouverte du salon. Malgré la nuit, la chaleur reste égale. Elle rabat le couvercle du piano et découvre, au-dessus de Hautefaye, un filet de fumée qui moutonne dans la nuit étoilée. Le claquement des semelles de celui qui court – domestique Pascal – fait le bruit d'une averse sur la poussière. La mère s'en étonne :

— Pourquoi va-t-il si vite alors qu'il fait tellement chaud ?

— Madame de Monéys ! Madame de Monéys !

Pascal entre en trombe dans la maison du XVIIe siècle :

— Alain, il a été...

Un cri terrible déchire tout le paysage et la nuit.

16

Le lendemain

Une grosse main aux doigts courts s'appuie fraternellement sur le ventre d'un gisant étendu à plat dos – très fragile statue blanche figée dans une allure d'imploration. La main traverse tout le ventre et se relève aussitôt :

— Oh, veuillez m'excuser. Je suis désolé !

— Décidément..., commente à côté la voix d'un assistant, tirant un cahier de sa sacoche et une plume qu'il trempe dans l'encre. Doigts en l'air, il ajoute : « Je suis prêt, docteur Roby-Pavillon. »

L'obèse médecin, maire de Nontron, se frotte les paumes d'où s'élève un nuage de cendre ressemblant à une poudre de riz qui se répand dans l'air. Il s'essuie ensuite les mains à son habit. Le pantalon noir se trouve un peu blanchi, de fait, par la cendre.

— C'est que nous ne sommes plus de la même argile, monsieur de Monéys... souffle le thérapeute sur le bas de ses manches.

Sa voix résonne dans la petite église de Hautefaye où le corps carbonisé fut précautionneusement transféré. Alain repose sur un drap blanc couvrant l'autel

illuminé par tous les cierges du presbytère et bougies
de l'épicerie Mondout. Leurs flammes vacillent en
ce lieu blême où sanglote le jour. Un rayon de soleil,
traversant un vitrail, ourle joliment, comme une
écharpe aux teintes vives, le bord des épaules et la
gorge d'Alain – petite joie volée ainsi.

Autour de la dalle où gît la victime d'un rite aboli
depuis des siècles, le silence règne si ce n'est le verbe
passablement haut de Roby-Pavillon qui reprend,
dicte à l'assistant son rapport d'autopsie médicale :

— Le cadavre presque entièrement carbonisé est
couché sur le dos...

Courte barbe, tête ronde et des cheveux très frisés
en haut du crâne, le docteur contourne l'autel en
considérant les restes qu'il décrit scrupuleusement :

— La face est un peu tournée à gauche, les
membres inférieurs écartés. La main droite, à
laquelle il manque trois doigts, est raidie au-dessus
de la tête comme pour implorer.

Le médecin parfois bute du soulier contre une
bouteille vide qui roule, très sonore, sur le dallage
de l'église aux odeurs de vin, de tonneaux percés, de
vomissures contre les murs mêlées à l'encens. Les
semelles écrasent aussi des débris de verre.

— La main gauche est ramenée vers l'épaule cor-
respondante et étalée comme pour demander grâce.
Les traits du visage exprimant la douleur, le tronc
tordu cassé en arrière : telle est l'attitude que les
flammes ont en quelque sorte saisie sur place et
conservées à la Justice pour lui dire les dernières
angoisses d'Alain de Monéys !

Une autre voix se fait entendre, geint dans l'église. C'est celle de l'abbé qui trouve que Roby-Pavillon parle trop fort. Saint-Pasteur, assis en soutane plus que douteuse sur un banc de messe, coudes aux genoux et les tempes aux paumes, a extrêmement mal au crâne. Sous les arceaux romans qui entendirent tant de choses hier, le curé de Hautefaye a ce matin la gueule de bois. Déjà que le Christ en sapin de l'église, bouffé par la mérule, saupoudre le sol... « Parlez moins fort », demande l'abbé au docteur qui en arrive à ses conclusions :

— Après avoir examiné le cadavre de la victime, je crois qu'on peut conclure premièrement, que Monsieur de Monéys a été brûlé pendant qu'il était encore vivant. Deuxièmement, que la mort est le résultat des brûlures et de l'asphyxie. Troisièmement, que les blessures constatées sur le cadavre ont été faites pendant sa vie avec des instruments piquants, tranchants et contondants. Quatrièmement, qu'une de ses blessures, celle du crâne, a été donnée par un individu placé derrière la victime alors que la victime était encore debout. Cinquièmement, que le corps de Monsieur de Monéys a été traîné pendant sa vie. Sixièmement, que l'ensemble de ses blessures aurait inévitablement amené la mort. Fait à Hautefaye le 17 août 1870 par Roby-Pavillon, docteur médecin.

Le gros thérapeute tourne sur place, ses talons crissent, ce qui fait plisser les yeux et grimacer le curé pas encore dessaoulé de la veille. Son teint vire carrément au vert pomme et il est au bord de vomir quand la cloche de l'église sonne neuf heures à toute volée ! La réverbération du bronze flotte sur Hautefaye et ses hameaux.

Des gendarmes à cheval sillonnent partout le paysage, reviennent au bourg en tirant, au bout d'une corde, les poignets liés de prévenus qui les suivent à pied, tête basse. On les groupe sur la place déjà encombrée du village et les gendarmes repartent en chercher d'autres dans toutes les fermes, boutiques, des environs.

Le jeune procureur général de la cour de Bordeaux, arrivé dès l'aube à Hautefaye, intervient auprès d'un gradé de la gendarmerie :

— Allez-y mollo ! N'en ramenez pas trop, non plus. On ne pourra pas les incarcérer tous ! À la maison d'arrêt de Périgueux, il n'y a que vingt et une places de prison et le tribunal ne saura en juger davantage. Rendez-vous compte. Sinon, il faudrait arrêter... six cents personnes. C'est un crime... pas ordinaire.

Le procureur, figure à favoris, retire ses précoces lunettes qu'il essuie et les remet comme s'il voulait être sûr d'avoir bien vu autant d'inculpés alors que le capitaine demande :

— Bon. Mais, par exemple, le premier qui lui a cassé toutes les dents d'un coup de barre de fer, on l'arrête ?

— Mais non, pour quoi faire ? Vous trouverez tellement de gens qui ont fait pire... Contentez-vous des principaux acteurs du drame.

— Et celui qui a crevé l'œil droit d'un coup de fourchette ?

— Oui, bon... celui qui a crevé l'œil, si vous voulez... Mais n'en faites pas trop, il y a tout ce qu'il faut. N'est-ce pas la calèche anglaise du préfet de Ribérac qui arrive derrière le rideau d'arbres ?

— Si, voilà Albert Theulier.

Le préfet descend de son véhicule en disant :

— C'est la consternation dans tout le Périgord.

Hautefaye est dans un état de prostration et de catatonie. On se croirait un lendemain de cuite. Et la bonté du paysage alentour, au cœur, dit à chacun : « Mais qu'avez-vous donc fait, hier ? Qu'est-ce qui vous a pris ? » Le village frémit encore, mal étonné par lui-même : « Mais qu'est-ce qui nous a pris ? » C'est le désarroi et l'hébétude. Hormis la place, le bourg est désert – comme frappé de tétraplégie. On dirait un village abandonné. Les habitants restent chez eux, plantés derrière les rideaux de leurs fenêtres. Les bras ballants, le regard fixe, la bouche bée, ils ont fermé au verrou leurs portes où des poings frappent :

— Ouvrez ! C'est la gendarmerie !

— Mais qu'est-ce qu'on a fait ?...

Un goût de poison lent et des airs d'échafauds rôdent dans les venelles qu'un agent voyer parcourt en comptant ses pas. Tirant le tabac d'une blague en vessie de porc, il bourre sa pipe puis dessine sur un calepin le plan du village et le chemin de croix d'Alain de Monéys. Il indique les différentes stations sous un soleil éblouissant.

De vagues habits élégants surmontés d'un feutre gris – des journalistes – se précipitent en direction

du préfet se coiffant d'un bicorne à plume d'au-
truche. Ils le suivent jusque dans la ruelle de Bernard
Mathieu à l'entrée de laquelle des tambours, des
pantalons rouges et des chevaux noirs attendent.

Quelques baguettes roulent sur des peaux de
chèvre tendues et le curé, maintenant seul en son
église, se tient la tête céphalée :

— À Alain, mort dans l'amour du Seigneur...

Le vieux maire de Hautefaye, lui, descend deux
marches de sa maison en maillot de corps recouvert
par son écharpe tricolore tachée et toute chiffonnée –
il a dû dormir avec. Au-dessus de sa tête, un gen-
darme, perché sur une échelle, décroche de la façade
le drapeau français tandis que d'autres bousculent
Bernard Mathieu en sortant avec les registres de la
commune :

— Où est-ce qu'on les apporte ?

— Chez Mousnier, propose le maire. Ils se
connaissaient très bien avec Alain...

Le préfet consterné soupire en hochant la tête.

— Ah oui, c'est vrai ! se reprend aussitôt Mathieu.
Alors chez l'instituteur. Madame Lachaud aimait
beaucoup Monsieur de Monéys !...

Le préfet lève les yeux au ciel :

— Vous ne devez cette écharpe qu'à votre âge.

La voix d'Albert Theulier est dure. On dirait du
fer. Il ordonne : « Gendarmes, portez les registres
à l'auberge d'Élie Mondout qui se trouve chargé
d'assumer provisoirement les fonctions du maire. »
Puis le préfet sort son épée brillante – l'heure des
comptes a sonné. Il la glisse sous le ruban tricolore

de l'élu destitué et tire brutalement. Le maire remue les lèvres. Tout le monde y est suspendu mais aucune parole ne quitte sa gorge serrée. Il pète.

— Ce n'est pas ce que je voulais dire !

L'auberge Mondout est devenu le cabinet d'instruction. Assis derrière les tables, des gens de justice font défiler devant eux ces paysans aux habits râpeux qui sentent l'étable et la frotte d'ail. Ils ont été dénoncés par Antony, Mazerat, Dubois, le neveu du... – les défenseurs d'Alain de Monéys présents dans l'établissement. Élie Mondout essaie de se remémorer les noms des clients installés en terrasse, la veille :

— Il y avait Roland Liquoine, Girard Feytou, Murguet, Lamongie, le notaire de Marthon... Qui d'autre encore ?... Ils étaient tellement nombreux...

Les prévenus pénètrent dans l'auberge, mal à l'aise et de travers en attendant l'affre de se trouver inculpés et arrêtés. Thibassou, aux poignets liés, entre à son tour encadré par deux gendarmes. L'adolescent paraît tout fiérot d'être considéré et traité comme un homme. Inconscient de ce qu'il a fait, le garçon jette alentour des regards bien voulus. Anna qui coupait du pain, verse à boire et passe devant lui :

— C'est moi qui t'ai mouchardé...

Elle le couvre d'un long regard triste puis baisse les paupières qu'elle relève pour le fixer droit dans les yeux. Elle le hait d'une haine de dieu :

— Cochon, cochon !

Elle quitte la salle pour aller au fond, dans la cuisine où elle ne parle pas, ne sourit pas, ne chante rien en travaillant. Elle est une ombre qui sort les couverts et les assiettes avec des mouvements lents. Elle s'arrête au milieu d'une action puis reprend la morue, les châtaignes...

Par la petite fenêtre qui s'ouvre au loin sur la campagne, elle entend bientôt les chevaux de deux fourgons cellulaires marteler au trot la terre dure de la route.

17

Le tribunal

— Levez la main droite et dites « je le jure ».

— Je le jure et vive l'empereur !

— Quel empereur ?

— Ben, Pouléoun, là... l'Envoyé de la Providence, Napoléon III !

— Il n'y a plus d'empereur en France.

— Ah bon ?

— Le 2 septembre, vaincu à Sedan, il a capitulé et fut arrêté. Le 4 septembre, la République a été proclamée.

— Ah bon ?

— Vous ne saviez pas ?

— Ben, non... Déjà, nous – à la campagne – on n'est pas trop informés... alors, en prison...

— Le crime auquel vous avez participé a eu lieu sous le Second Empire mais est jugé par la IIIᵉ République.

— Ah, d'accord...

— Vous paraissez ailleurs. Savez-vous quel jour nous sommes, aujourd'hui, François Chambort ?

— Pas trop non plus... C'est l'hiver, hein ? Par le soupirail de la cellule, j'ai vu tomber la neige.

— On est le 13 décembre 1870 en cour d'assises de Périgueux et c'est le dernier des trois jours de débats à la fin duquel sera énoncé le verdict et que vous connaîtrez, personnellement, votre condamnation.

— Ah...

— T'es bon pour passer chez le coiffeur ! lance quelqu'un parmi le public.

— Silence ! Ou je fais évacuer la salle, s'indigne le président du tribunal.

Pas méchant, il siège, surélevé en un fauteuil aux accoudoirs cachés par ses larges manches, derrière un bureau à tapis vert uni sur lequel des codes, des papiers... Devant son bureau, une petite table avec des pièces à conviction : fouets, bâtons ensanglantés, crochet de chiffonnier, pierres maculées de graisse humaine.

Debout à la barre, Chambort – maréchal-ferrant rompu à manier chevaux et bœufs, battre le fer – est maladroit dans la salle comble du palais de justice. Engoncé dans son costume de grande sortie, tour des paupières sombres, il fixe le parquet près d'un gros poêle qui fait rage alors que le juge demande :

— Qui était, pour vous, Alain de Monéys ?

— Un camarade d'enfance devenu le meilleur homme qu'on puisse rencontrer. Non, vraiment, je ne comprends pas ce qui m'a pris. C'est affreux, affreux. Je suis bourrassounné par ce que j'ai fait.

— Mais encore ?...

— J'ai perdu la raison.

— Que s'est-il passé ?

— Je me suis laissé entraîner.

— Que pourriez-vous dire de votre victime ?

— Son attention aux autres, sa bonté...

— Et son goût ! persifle quelqu'un dans la salle.

— À mort, les cannibales ! gueulent d'autres voix. Laissez-le-nous ! On va la faire, la justice !

Le juge tape du marteau sur son pupitre, observe le public aux vagues de foule bête, puis reprend : « François Chambort, avez-vous torturé Monsieur de Monéys ? »

— Oui, je l'ai ferré et lui ai jeté de la paille. La cohue furieuse qui se précipitait sur Alain m'a excité.

— Et vous avez voulu finir par un autodafé.

— Je ne comprends pas ce mot.

— On dit que vous avez piétiné le bûcher.

— Je ne me souviens pas.

— Les jurés apprécieront. Retournez vous asseoir dans le box des accusés.

Chambort obéit, flageolant sur ses jambes, tandis que l'assemblée le hue :

— Pas de grâce pour les monstres !

Certain de son effet sur un auditoire aussi chaud, le procureur se lève, pourpre, presque écumant, tandis que sa robe flotte autour de ses bras :

— À la guillotine, monsieur !...

Si l'interrogatoire du juge fut ce que sont toutes les formalités, le réquisitoire manque de ce qu'on appelle modération. Les épithètes volent dru sur les lèvres du procureur à propos de Chambort : « Le plus infâme des hommes !... Je ne sais comment qualifier cet individu et renonce à trouver une expression qui dise toute mon horreur ! » Telles sont les fleurs de son bouquet et, en conclusion, il réclame le maximum qui est – lisez le code ! – la mort.

Face à ce corbeau au lourd vol noir et mots filant vers les moulures du plafond, un des avocats – belette au corps tors – sort de son trou :

— Mon client n'a aucun précédent judiciaire ! D'ailleurs, tous ces accusés – paysans, artisans – jouissaient d'une très bonne réputation avant cette terrible journée. C'est ce qui constitue l'originalité de l'affaire. Il ne s'agit pas d'un crime de droit commun. La logique du comportement de la foule possède ses racines et...

Le juge l'interrompt :

— Bon, ça suffit ! Réquisitoires et plaidoiries auront lieu tout à l'heure avant que les jurés délibèrent. Le suivant, à la barre !

Il s'en approche un, en veste verdâtre dure, très épaisse, très grossière et en somme très laide, tour de cou en laine, des chaussettes et des sabots. Le président de cour d'assises veut savoir :

— Nom, prénom, profession ?

— Léchelle Antoine, cultivateur.

— Que s'est-il passé, le 16 août ?

— La comète nous est tombée sur la tête.

— Pourquoi avez-vous massacré Monsieur de Monéys ?

— Parce qu'on disait qu'il avait crié « Vive la Prusse ».

— Pourtant, il s'était engagé contre la Prusse.

— Ah bon ? Personne l'a dit.

— Si, lui.

Les murs de la salle sont tapissés de papier avec de vagues dessins dessus représentant des mouvements d'océans. Le naufrage y est total et Léchelle, lui-même, est un des flots du décor. Pleurant ses désirs échoués, il quitte la barre, croise un autre qui s'éponge le front.

— Mazière, vous êtes accusé de vous être livré à des actes de barbarie sur de Monéys.

— On disait que c'était un Prussien, qu'il fallait le faire souffrir. Je n'avais jamais vu de Prussien alors je suis allé l'examiner de plus près.

— Et là, vous avez bien vu que ce n'était pas un Prussien mais votre voisin !

— Ah, on ne pouvait plus le reconnaître... Sa tête était un globe de sang. Vous, monsieur le juge, n'auriez pas reconnu votre mère !

— Vous l'avez traîné, vivant, par les pieds jusqu'au bûcher.

— J'ai eu ce malheur.

— Auparavant, vous l'avez forcé à entrer dans l'atelier de maréchal-ferrant pour qu'on l'y ferre et ampute.

— Je le tenais mais c'est la foule qui le bourrait.

— Toi aussi ! crie Antony dans la salle.

— Ah ? Moi aussi ? Fallait-il qu'on soit tous perdus...

Au fur et à mesure des récits, dans le box des accusés, les têtes se baissent, les cous rentrent dans

les épaules. Ils disent tous la même chose : « On ne
sait pas ce qui nous a pris. » C'en est monotone. Personne ne charge la victime, genre : « Oui, mais
c'était quand même un mec qui... »

— Murguet, avez-vous, à coups de fourche,
remué le ventre d'Alain de Monéys comme on
retourne la terre ? Avez-vous eu cette lâcheté ?

— J'ai eu ce malheur.

Les accusés abattus s'engloutissent en eux-mêmes
pris d'une somnolence à l'écoute d'expressions pour
eux, langue étrangère :

— Pourquoi cette pulsion dionysiaque ?

Piarrouty a une tête de cadavre, la peau livide, les
yeux morts.

— Nous avons viré fous, déclare Buisson. De
Monéys, bien sûr que c'était un brave garçon !

— On était devenus comme des enfants, dit
Besse. Je crois qu'à un moment, on a rêvé... Moi,
quand il était en braise, j'ai distingué un marcassin
et Piarrouty a vu des bras enlacer un nourrisson.
Lamongie a perçu un oiseau. Liquoine a dit : « On
dirait Belzébuth. Sa langue jaune remue... »

18

Le verdict

Cour d'assises de la Dordogne
(SESSION EXTRAORDINAIRE)
Présidence de M. Brochon, conseiller à la cour d'Appel de Bordeaux

AFFAIRE DE HAUTEFAYE
ASSASSINAT DE M. DE MONÉYS

VINGT ET UN ACCUSÉS.

Le 13 décembre 1870, à sept heures du soir, a été rendu l'arrêt de la cour d'assises contre les inculpés du crime de Hautefaye.

Ont été condamnés :

Chambort François, *Buisson* Pierre, *Léonard* François (dit Piarrouty), *Mazière* François, à la peine de mort.

Leur exécution aura lieu sur la place publique de Hautefaye.

Campot Jean, à la peine de travaux forcés à perpétuité.

Campot Étienne, à huit ans de travaux forcés.

Besse Pierre, à six ans de travaux forcés.

Léchelle Antoine, *Frédérique* Jean, *Lamongie* Léonard, *Sarlat* Pierre, *Murguet* Mathieu, *Beauvais* Jean, à cinq ans de travaux forcés.

Sallat Jean (dit Vieux Moureau) à cinq ans de réclusion seulement, vu son âge (62 ans).

Brut Pierre, *Brouillet* Jean, *Feytou* Girard, *Liquoine* Roland, *Sallat* François, prévenus du délit simple de coups et blessures, sont condamnés à un an de prison.

Limay Thibault (dit Thibassou) est acquitté, en raison de son âge (14 ans) et comme ayant agi sans discernement, mais restera enfermé dans une maison de correction jusqu'à sa vingtième année.

Delage Pierre (dit Pouléoun),ayant agi sans discernement, est acquitté en raison de son âge (5 ans) et sa mise en liberté immédiate ordonnée.

19

L'exécution

— Il n'y a pas beaucoup de monde, moins d'une centaine de personnes.

— C'est sûr qu'il y en avait davantage le jour de la foire... Je ne vois pas les parents d'Alain. Ils ne vont donc pas venir ?

— Vous ne saviez pas ? Sa mère est morte de chagrin en automne. Le 31 octobre, je crois.

— Et le père ?

— Il a revendu ses terres, les quatre-vingts hectares, et a mis en vente la demeure de Bretanges. Il a quitté la région. Il n'avait pas trop envie de rencontrer tous les jours des gens qui ont battu, mangé son fils.

Les deux hommes qui parlent sautillent dans la neige et, des paumes, frottent leurs bras pour tenter de se réchauffer.

— Brr ! C'est bien un temps de 6 février. Il faisait plus chaud ici, le 16 août... Vous savez qu'on va peut-être démolir la commune ?

— Supprimer Hautefaye ?

— Au gouvernement, ils envisagent sérieusement de rayer le village de la carte.

Avec l'arrivée de l'aube, monte une sourde inquiétude. On voit encore la lune. Elle dévoile à moitié sa face hypocrite feignant la pitié. Un des deux hommes propose à l'autre :

— On s'approche de la funeste machine ? Je n'en avais encore jamais vu.

— C'est très rare de transporter une guillotine sur le lieu même du crime.

Près des bois de justice où le bourreau et ses aides s'affairent, quatre cercueils en sapin ont le fond tapissé de sciure avec leur couvercle posé à côté. Un sifflement de fer suivi d'un choc violent fait sursauter les deux hommes – l'exécuteur des hautes œuvres a vérifié la chute du couperet qu'un assistant remonte en tirant une corde. Le procureur sort une montre de son gousset : « Sept heures vingt-cinq, êtes-vous prêt ? » Le bourreau, coiffé d'un haut-de-forme, hoche la tête.

— Garde à vous !

Au commandement d'un capitaine à moustaches, des talons claquent dans l'aube blême. Cent gendarmes font la haie, l'arme au pied, de la porte de chez Mousnier jusqu'à la halle. Derrière eux, surtout des amis et quelques parents de condamnés à mort, des épouses couvertes de noirs fichus de laine, étouffent des sanglots. La porte de l'auberge rénovée s'ouvre.

Piarrouty quitte le premier l'établissement de Mousnier (geôle éphémère en attendant l'exécution).

Un garçonnet se glisse entre deux gendarmes pour lui tendre un café. Le procureur, d'un signe de la main, indique de laisser faire. Le chiffonnier boit lentement la tasse, la rend à l'enfant qu'il contemple comme si c'était son fils :

— Mon petit, sois sage et ne m'imite jamais. Si un jour, parce que t'es malheureux, tu veux battre ton voisin, jette ta cognée et passe ton chemin.

Quelques secondes plus tard, son sang fume sur des planches et c'est un peu chacun dans le bourg qu'on a poussé sous la guillotine. Autour de la place, les volets se ferment mais on sent que derrière les jalousies, des fronts sont collés aux carreaux. C'est au tour de Buisson qui scrute le public :

— Personne de ma famille n'est venu ? Je les dégoûte toujours autant ?

Saint-Pasteur, qui le soutient, promet :

— Je parlerai à votre femme et à vos enfants.

— Dites-leur que je suis un misérable et que je regrette ce que j'ai fait.

La tête de Buisson tombe sur celle de Piarrouty dans le panier à sciure. Mazière les rejoint en piaillant d'une voix de rossignol blessé : « Maman, maman... » Chambort soupire :

— Enfin, nous étions de braves gens...

Un gros cheval pommelé aux naseaux fumants tracte une charrette, portant quatre cercueils clos, à la fosse commune du cimetière. Tambours, pantalons rouges, chevaux noirs, s'éparpillent devant la halle. L'auberge Mondout soudain s'emplit. Et à chaque table, des arrivages de gouttes de tout acabit, active-

ment expédiés, croyez-le en ce glacial matin de
février où l'on a aussi faim :

— La nourriture ?

— La nourriture ? Hé parbleu, toujours de la
soupe... à l'orge ! répond Élie. Anna, verse à boire,
coupe du pain, remplis les assiettes ! Anna !...

Anna Mondout aux joues creusées, devant un
assistant du bourreau qui lui réclame un baquet
d'eau chaude pour laver le matériel, se met à claquer
des mâchoires à ne plus savoir s'arrêter.

Dans l'auberge, on évoque les fourgons cellulaires
contenant les condamnés aux travaux forcés partis
pour La Rochelle puis le bagne de l'île Nou en Nouvelle-Calédonie.

— C'est où, la Nouvelle-Calédonie ?

Un éleveur rumine que le plus paisible village de
France est souillé d'une tache ineffaçable. Et c'est
ensuite tout l'embarras de ces sortes de « causeries »
sur la politique. Élie Mondout demande :

— Où est Anna ?

« Pas en cuisine ni descendue chercher du noah à
la cave et on l'aurait vue sortir sur la place », dit la
tante à son mari qui ouvre une petite porte arrière et
appelle en scrutant la campagne :

— Anna !... Anna !

Sous la gouttière de l'établissement, les cris de
l'aubergiste et le courant d'air de la porte ouverte
forment un souffle de vent qui emporte une particule
de cendre peut-être là depuis l'été dernier.

— Anna ! Anna !...

20

Les marais de la Nizonne

La voilà Anna, à plat ventre dans la neige, morte.

— Elle était donc là, sur les marais gelés au bord de la Nizonne. Je comprends que vous ayez mis trois jours à la retrouver...

Roby-Pavillon marche autour de la petite trépassée. Ses pas crissent. Élie Mondout le suit, accablé, ainsi que le paysan qui fit la découverte :

— J'avais une bête échappée de l'étable alors j'ai voulu voir si elle n'était pas allée s'embourber près de la rivière.

Le médecin légiste s'accroupit, glisse une paume professionnelle sous le gros gilet de la fille et diagnostique :

— Elle était enceinte de six mois.

— Quoi ? ! s'étonne l'oncle stupéfait.

— Ça a peut-être un rapport avec ce qu'il y a écrit là... suppose le docteur, se relevant et essuyant ses mains à son pantalon noir qui s'en trouve blanchi.

— Je ne sais pas lire. Qu'est-ce que ça dit ? demande le paysan s'approchant de grandes lettres tracées au doigt dans la neige.

Celle qui fut repasseuse à Angoulême gît, à vingt-trois ans, la tête tournée sur un côté. Très pâle et cristaux de givre aux cils, ses belles lèvres sont entrouvertes. En robe de laine épaisse et chaussée de gros souliers cloutés, âme sensible au bourg des cannibales, on dirait qu'elle dort. Sous elle, quelques herbes gelées aplaties pour tout carnage. Ciel bas et très couvert, près de sa bouche et d'un index crispé, la neige semble être une brume grise uniforme dans laquelle se lisent les lettres de « JE T'AIME ».

Mondout s'en approche, éberlué :

— Je t'aime ? Mais à qui ça s'adresse ? Je ne l'ai jamais vue regarder un gars à part peut-être Alain de...

Alors que le paysan s'émerveille : « On dirait un miroir magique que les colporteurs sortent de leur malle... », l'oncle de la défunte entame son décompte :

— Six mois avez-vous dit, docteur ? Février, janvier, décembre... elle aurait été engrossée vers la mi-août ?

— C'est ça.

— Mais par qui ? Et quand même pas le jour de la...

Le paysan tourne autour du texte enneigé qu'il admire à l'envers : « Mais comment a-t-elle su les lettres ? »

— C'est la femme de l'instituteur, répond mécaniquement Élie.

L'agriculteur poursuit sa course, se retrouve dans le bon sens :

— En tout cas, c'est écrit grand comme si ça devait être lu du ciel.

Une particule de cendre, telle que descendue en voletant des nuages, se dépose sur une lèvre pailletée de givre d'Anna et s'y fond tel un baiser. Le médecin et l'aubergiste lèvent les yeux puis se regardent.

— Mais non, c'est impossible ! Comment aurait-il pu ? Ah, et puis c'était le jour, tiens ! s'exclame Mondout.

— Tout le monde l'occupait à bien autre chose !... abonde le docteur.

Le paysan, pris dans une sorte d'enchantement, en arrive à :

— C'est un lébérou !... Suivant son maléfice, corps enveloppé d'une fourrure, il se sera jeté sur le dos de la petite, l'aura mise enceinte, et aura repris la figure innocente d'un voisin des hameaux. Il faudrait savoir qui c'est – lequel d'entre nous – et lui faire sa fête à celui-là, à ce Prussien ! À coups de bâton, à coups de !... Ah, moi, je te le !...

Le maire de Nontron regarde les petits flots de la Nizonne et Hautefaye aux toits bleus. Rêveur, au bord de l'eau, il entend chanter l'ajonc et le roseau.

Épilogue

Arrivés au pénitencier de l'île Nou, les condamnés aux travaux forcés pour l'affaire Hautefaye furent surnommés par les bagnards : « Goûte graisse », « Bien cuit », « À point », « La grillade », etc. Jean Campot a reçu, lui, le patronyme de la victime et il s'y est habitué. Après trente années de bagne, il fut libéré pour conduite exemplaire. Resté en Nouvelle-Calédonie, il eut avec une Canaque des enfants qu'il déclara sous le nom de de Monéys.

Le 16 août 1970, les descendants de la famille de la victime et les descendants des bourreaux organisèrent et assistèrent côte à côte à une messe anniversaire en l'église de Hautefaye – village qui n'aura, finalement, pas été rayé de la carte.

Le projet d'Alain de Monéys pour l'assainissement de la Nizonne fut réalisé. Cent cinquante ans plus tard, la région en profite encore.

Remerciements pour leur collaboration plus ou moins volontaire à :

Georges Marbeck, *Hautefaye, l'année terrible* (Robert Laffont) / Georges Marbeck, *Cent documents autour du drame de Hautefaye* (Pierre Fanlac) / Alain Corbin, *Le Village des cannibales* (Aubier) / Jean-Louis Galet, *Meurtre à Hautefaye* (Pierre Fanlac) / Patrick de Ruffray, *L'Affaire d'Hautefaye. Légende, histoire* (Imprimerie industrielle et commerciale 1926) / Magistrat M. Simonet, *La Tragédie du 16 août 1870 à Hautefaye* (Imprimerie de Siraudeau 1929) / Maître Zévaès, *L'Affaire Hautefaye* (Miroir de l'Histoire, septembre 1953) / René Girard, *Le Bouc émissaire* (Grasset) / René Girard, *Je vois Satan tomber comme l'éclair* (Grasset) / Gustave Le Bon, *Psychologie des foules* (Puf) / Françoise Héritier, *De la violence* (Odile Jacob) / Paul Verlaine, *Œuvres complètes* (Pléiade).

Table

La photocomposition de cet ouvrage
a été réalisée par
GRAPHIC HAINAUT
59163 Condé-sur-l'Escaut

Cet ouvrage a été achevé d'imprimer en avril 2009
dans les ateliers de Normandie Roto Impression s.a.s.
61250 Lonrai (Orne)